PIENSE EN GRANDE

Dr. Ben Carson

con Cecil Murphey

EDITORIAL BETANIA

© 1993 **EDITORIAL BETANIA, INC.**
9200 S. Dadeland Blvd., Suite 209
Miami, FL 33156

Título en inglés: *Think Big*
©1992 by *Benjamin Carson, M.D.*
Publicado por *Zondervan Publishing House.*

ISBN: 0-88113-185-7

Traducido por *Virginia A. Powell de Lobo*

Impreso en E.E.U.U.
Printed in U.S.A.

Contenido

Segunda parte

Puedes dar lo mejor de ti y pensar en grande

Introducción

*Efímera y frágil es la fama que confieren las riquezas
y la belleza. La excelencia mental es una posesión
espléndida y duradera.*

Salustro (86-43 a.C)

*E*ste libro trata acerca de dar lo mejor de nosotros y especialmente de hacer todo lo que podamos para ayudar a otros
pensando en grande, uno de los conceptos más importantes
de mi vida. También podría ser un libro acerca de la excelencia o sobre la dedicación.

*También es un libro relacionado con las personas que dan lo mejor
de sí y que piensan en grande.*

Elegí este tema porque nuestra sociedad tiende a centrar
la atención en los superanimadores, las figuras deportivas,
los políticos o las personas que reciben mucha publicidad por
sus logros. Estoy totalmente de acuerdo con los logros y lo
mismo en favor del reconocimiento. Pero, ¿qué de aquellos
que dan lo mejor de sí y nunca reciben reconocimiento, ni
recompensas económicas, ni honor, ni fama?

Mi vida ha sido rica, ya que Dios me ha bendecido de
muchas maneras. Mi primer libro *Gifted Hands* [Manos dota-
das] me ha traído mucho reconocimiento y ha enfocado la
atención del público en mí. Además, mucha gente ha expre-
sado aprecio por lo que he estado tratando de hacer.

Estudiantes de la escuela media me han escrito para
contarme que el libro los ha desafiado y cambiado sus vidas.
Maestros dedicados han repartido copias entre sus alumnos.
Algunas congregaciones adquirieron ejemplares para facili-
tarlos a estudiantes. Por lo menos sé de dos hombres de
negocios que compraron cada uno más de cien números para
distribuirlos. Y les estoy agradecido.

Me complace saber que mi historia ha estimulado a muchos y agradezco cada palabra de aprecio, pero también quiero señalar una de las grandes verdades de la vida: No lo hice *solo*. Recibí ayuda a lo largo del camino.

Personas competentes y comprometidas me dieron lo mejor de sí sin reservas. Con frecuencia recibo el reconocimiento, pero ahora quiero hacer una pausa para enfocar la atención en esas personas, al menos por un momento. Lo merecen.

Sin repetir la mayoría de las experiencias relatadas en *Gifted Hands* [Manos dotadas], quiero agradecer a las personas importantes que ayudaron a Ben Carson a ascender desde su bajo nivel académico del quinto grado, para convertirse, a los treinta y tres años, en jefe de la Sección de Neurocirugía Pediátrica del hospital Johns Hopkins. Soy una de las personas más jóvenes que haya llegado a esa posición y la única de color en ocupar ese cargo en una institución de renombre mundial. Dios me dotó de capacidad, pero nunca hubiera tenido conciencia de esos dones ni los hubiera usado, si otros no se hubieran tomado el tiempo de poner sus talentos a mi disposición al darme lo mejor de sí.

Espero que ahora avanzarán otro paso junto a mí. Quiero llevarlos de nuevo por mi vida y hablarles de aquellas personas *especiales, poco comunes y dotadas*, que han hecho posible mis logros. Quienes lo hicieron *a menudo sin siquiera darse cuenta*, sencillamente dieron lo mejor de sí.

Primera parte

Dar lo mejor y pensar en grande

Hay corazones fieles, hay espíritus valientes,
hay almas puras y verdaderas;
por tanto da al mundo lo mejor de ti
y recibirás de vuelta lo mejor.

Madeline Bridges

UNO

¡Haz lo mejor!

> *A través de los libros es que principalmente disfrutamos el intercambio con mentes más brillantes. En los mejores libros, nos hablan los grandes hombres, nos dan sus más preciadas ideas y vierten su alma en la nuestra. Gracias a Dios por los libros. Son las voces de los distantes y de los muertos. Nos hacen herederos de la vida espiritual de tiempos pasados. Los libros son los que en verdad allanan el camino. Dan a todo aquel que los use fielmente, la compañía y la presencia espiritual, de los mejores y más grandes de nuestra raza.*
>
> William Hellery Channing

—*B*enjamín, ¿es este tu reporte de notas? —preguntó mi madre levantando la hoja blanca que estaba doblada sobre la mesa.

—Este... sí —dije tratando de aparentar tranquilidad. Demasiado avergonzado para entregárselo lo había dejado sobre la mesa, con la esperanza de que no lo notara hasta que estuviera dormido.

Eran las primeras notas que recibí de la escuela elemental Higgins, desde que nos habíamos trasladado otra vez de Boston a Detroit, apenas unos meses antes.

Había estado en el quinto grado no más de dos semanas cuando ya todo el mundo me consideraba el chico más torpe de la clase y con frecuencia se burlaban de mí. No pasó mucho tiempo antes que también comenzara a sentirlo así. A pesar de que mamá decía con frecuencia: «Eres inteligente, Bennie. Puedes hacer todo lo que te propongas», no le creía, al igual que los demás en la escuela.

Ahora, mientras analizaba mis notas, me preguntó:

—¿Qué es esta calificación en lectura? —El tono de su voz indicaba que me encontraba en problemas.

Aunque estaba avergonzado, no pensaba mucho en ello. Mamá sabía que no me iba bien en matemáticas, pero no que estuviera tan mal en las demás materias.

Mientras ella leía lentamente mi boletín, destacando cada palabra, me apresuré a ir a mi cuarto y comencé a prepararme para dormir. Pocos minutos después entró a la habitación.

—Benjamín —dijo sosteniendo el papel de las notas delante de mí como si no lo hubiera visto antes—, ¿son estas tus calificaciones?

—Sí... pero, ¿sabes?, no importa tanto.

—No, eso no es verdad, Bennie. Importa y mucho.

—Es sólo un boletín de calificaciones.

—Es más que eso.

Sabiendo que ahora no tenía escapatoria, me preparé a escuchar, pero en el fondo no estaba tan interesado. No me agradaba mucho la escuela y no tenía razón alguna para que me gustara. Mientras fuera el chico más torpe de la clase, ¿qué podía pretender? Los otros se reían y se burlaban de mí todos los días.

—La educación es el único medio con el que alguna vez podrás escapar de la pobreza —dijo—. Es la única forma en que lograrás salir adelante en la vida y tener éxito. ¿Lo entiendes?

—Sí, mamá —murmuré.

—Si continúas con estas notas, pasarás el resto de tu vida como un pordiosero o, en el mejor de los casos, limpiando los pisos en una fábrica. Esa no es la vida que quiero para ti. Esa no es la vida que Dios quiere para ti.

Bajé la cabeza sinceramente avergonzado. Mi madre nos criaba sola a mí y a mi hermano mayor, Curtis. Teniendo ella misma apenas un tercer grado elemental sabía el valor de lo que carecía. Todos los días nos machacaba que debíamos hacer lo mejor posible en la escuela.

—Simplemente, no viven a la altura de su potencial —decía—. Tengo dos muchachos fuertes e inteligentes y sé que pueden realizar lo mejor.

Yo sí había hecho lo mejor que podía, al menos cuando comencé en la escuela elemental Higgins. ¿Cómo podía andar mejor cuando no entendía nada de lo que pasaba en la clase?

En Boston habíamos asistido a una escuela parroquial, pero no había aprendido mucho a causa de una maestra que parecía más interesada en conversar con otra que en enseñarnos. Posiblemente ella no tenía toda la culpa, tal vez yo no estaba emocionalmente preparado para aprender. Mis padres se habían separado justo antes de mudarnos a Boston cuando yo tenía ocho años. Amaba a mis padres y la separación de ellos me produjo un gran trauma. Durante meses pensé que mis padres se volverían a unir, que papá iba a volver a casa como solía hacerlo y que lograríamos ser la misma familia que antes. Pero mi padre nunca volvió. En consecuencia, nos mudamos a Boston y vivimos durante dos años con tía Jean y tío William Avery, en un edificio en que se subalquilaban habitaciones, hasta que mamá pudo reunir el dinero suficiente para que volviéramos a Detroit.

Mamá continuó sacudiendo el reporte de las notas delante de mí mientras se sentaba en el borde de mi cama.

—Tienes que esforzarte más. Tienes que usar esa mente capaz que te ha dado Dios, Bennie. ¿Lo entiendes?

—Sí, mamá —pronunciaba obedientemente esas palabras cada vez que ella hacía una pausa.

—Trabajo entre gente rica, gente educada —dijo—. Observo cómo actúan y sé que pueden hacer lo que se proponen. Lo mismo puedes hacer tú —puso su brazo en mi hombro—. Bennie, tú puedes lograr lo mismo que ellos, ¡pero puedes hacerlo mejor!

Mamá había dicho esas palabras antes. A menudo. Para entonces ya no significaban mucho para mí. ¿Por qué habrían de hacerlo? Creía, en realidad, que era el chico más torpe del quinto grado, pero por supuesto, nunca se lo dije.

—Sencillamente no sé qué hacer con ustedes, muchachos —dijo mamá—. Voy a hablar con Dios acerca de ti y Curtis.

Hizo una pausa, y pensativa dijo más para ella que para mí:

—Necesito la guía de Dios para saber qué hacer. Está claro que no puedes traer notas así.

En lo que a mí respecta, el asunto del boletín estaba terminado.

El día siguiente fue como todos los anteriores, otro mal día en la escuela, otro día de recibir las burlas por no haber logrado resolver un miserable problema de aritmética, ni poder acertar a las palabras correctas en la prueba de lenguaje. En cuanto llegué de la escuela a la casa, me cambié la ropa y salí a jugar. La mayoría de los chicos de mi edad jugaban al fútbol o al que yo prefería, «apuntar a la tapa».

Jugábamos colocando una tapa de botella en una de las grietas de la acera. Luego tomábamos una pelota, de cualquier tipo, que rebotara, nos parábamos sobre una línea y nos turnábamos para arrojarla encima de la tapa de la botella, procurando hacerla saltar. Aquel que lo lograba se llevaba dos puntos. Si alguno conseguía mover la tapa más allá de unas pocas pulgadas, obtenía cinco puntos. También había puntuación para el que lograba hacerla saltar en el aire y aterrizar del otro lado.

Al final, cuando oscurecía o nos cansábamos, Curtis y yo entrábamos a casa y veíamos televisión. El aparato se mantenía encendido hasta que nos íbamos a dormir. Como mamá trabajaba largas horas, nunca estaba en casa hasta la hora de acostarnos. A veces me despertaba cuando la escuchaba abrir la puerta.

Dos noches después del incidente del reporte de calificaciones, mamá volvió a casa alrededor de una hora antes del momento de acostarnos. Curtis y yo estábamos echados mirando la televisión. Atravesó la habitación, apagó el aparato y se enfrentó a nosotros.

—Muchachos —dijo— están malgastando su tiempo frente a ese televisor. No reciben ninguna educación viendo televisión todo el tiempo.

Antes de que ninguno de los dos pudiera protestar nos dijo que había orado pidiendo sabiduría.

—El Señor me dijo qué hacer —señaló—. De modo que de ahora en adelante no verán televisión, excepto dos programas por semana elegidos previamente.

—¿Sólo *dos* programas? —Apenas podía creer que hubiera dicho una cosa tan terrible—. Eso no...

—Y *sólo* después de haber hecho la tarea escolar. Es más, cuando regresen de la escuela tampoco jugarán afuera hasta que hayan terminado toda sus tareas.

—Todo el mundo juega afuera después de la escuela —dije incapaz de pensar en otra cosa salvo en lo terrible que sería no poder jugar con mis amigos—. No tendré amigos, si me quedo metido en casa todo el tiempo...

—Puede ser —dijo mamá— pero ningún otro será tan exitoso como tú.

—Pero, mamá...

—Esto es lo que vamos a hacer. Pedí sabiduría a Dios y esta es la respuesta que recibí.

Intenté presentar otros argumentos, pero mamá estaba firme. Miré a Curtis esperando que comentara algo, pero no dijo nada. Estaba echado en el piso mirándose los pies.

—No se preocupen por los demás. El mundo está lleno de «todos los demás», ¿saben? Pero sólo algunos logran cosas importantes.

La pérdida del televisor y del tiempo de juego ya era bastante malo. Me levanté del piso sintiendo que todo estaba en contra de mí. Mamá no me dejaría jugar con mis amigos, no habría más televisión, mejor dicho casi nada. Me privaba de toda diversión en la vida.

—Y eso no es todo —dijo—. Regresa, Bennie.

Me volví preguntándome con qué más saldría.

—Además de hacer la tarea —dijo— tienen que leer dos libros de la biblioteca por semana... Cada semana sin falta.

—¿Dos libros? ¿Dos? —Aunque estaba en quinto grado jamás en mi vida había leído un libro completo.

—Sí, dos. Cuando terminen de leerlos deben escribirme un informe tal y como lo hacen en la escuela. No viven a la altura de su potencial, de modo que me voy a ocupar de que lo hagan.

Generalmente Curtis, que tenía dos años más, era el más rebelde. Pero esta vez pareció comprender la sabiduría de lo que decía mamá. No dijo una sola palabra.

—¿Entiendes? —dijo mamá mirando a Curtis.

Él asintió.

—Bennie, ¿está claro?

—Sí, mamá.

Estaba de acuerdo con lo que ella había dicho. No se me hubiera ocurrido desobedecerla, pero no me sentía a gusto.

Mamá era injusta y exigía más de lo que hacían otros padres.

*   *   *

El día siguiente era jueves. Después de la escuela, Curtis y yo caminamos hasta la biblioteca local. No me gustaba mucho, pero en realidad nunca había pasado un tiempo en ninguna.

Ambos vagamos un rato en la sección para niños, sin tener idea alguna de cómo seleccionar libros o cuáles pediríamos.

La bibliotecaria se nos acercó y preguntó si podía ayudarnos. Le explicamos que ambos queríamos sacar dos libros.

—¿Qué tipo de libros les gustaría leer? —preguntó.

—De animales —dije después de pensar un poco—. Algo referente a los animales.

—Estoy segura que tenemos varios que te pueden gustar. Me condujo a otra sección de libros. Me dejó allí y guió a Curtis a otra sección de la sala. Por un rato miré en el estante de libros hasta encontrar dos que parecían lo suficientemente fáciles para poder leerlos. Uno de ellos se refería a un castor, *Chip, the Dam Builder* [Chip, el constructor loco], fue el primero que saqué prestado en mi vida. En cuanto llegué a casa comencé a leerlo. Fue el primer libro que leí de punta a punta, aunque me llevó dos noches. Más tarde admití con pocas ganas, delante de mamá, que en realidad me había gustado leer acerca de Chip.

Por consiguiente, un mes más tarde podía ubicarme en la sección de libros para niños como alguien que hubiera ido allí toda su vida. Para entonces el personal de la biblioteca nos conocía a Curtis y a mí y el tipo de libros que solíamos escoger. Con frecuencia nos hacían sugerencias. «Aquí hay un libro muy entretenido acerca de una ardilla», recuerdo que alguien dijo.

Intentaba aparentar indiferencia mientras la biblioteca-ria me relataba parte de la historia, pero en cuanto me lo entregó abrí el libro y lo comencé a leer.

Lo mejor de todo fue que nos convertimos en los preferidos de los bibliotecarios. Cuando llegaba algún libro nuevo que pensaban que alguno de nosotros disfrutaría, nos lo guardaban. Pronto me resultó fascinante descubrir que la biblioteca tenía tantos libros y sobre muchos temas diferentes.

Después del libro del castor escogí otros acerca de muchos animales (todo tipo de animales). Leía cuanta historia caía en mis manos acerca de animales. Leí sobre lobos, perros salvajes, ardillas y sobre una diversidad de animales de otros países. Una vez que terminé con los libros acerca de animales, comencé a leer los relacionados a las plantas, luego los minerales y finalmente las rocas. La primera vez que la información me resultó práctica fue con la lectura de libros que se refieren a las rocas. Vivíamos cerca de la vía del ferrocarril y cuando Curtis y yo íbamos a la escuela, por el camino que cruzaba los rieles, comencé a prestar atención a las rocas quebradas que observaba entre los durmientes.

A medida que leía más acerca de las rocas, caminaba por las vías buscando diferentes clases de piedras y luego trataba de identificarlas.

Con frecuencia me llevaba un libro para asegurarme que había identificado cada piedra correctamente.

—Ágata —decía arrojando la piedra. Curtis se cansaba de que yo alzara e identificara las piedras, pero a mí no me importaba porque seguía encontrando nuevas piedras todo el tiempo. Pronto el caminar por las líneas del tren, identificando las variadas piedras, se convirtió en mi juego favorito. Aunque no me daba cuenta, en un corto período me estaba transformando en un experto en rocas.

El mundo de los libros es la más asombrosa creación del hombre, ninguna otra cosa que él mismo construye dura para siempre. Los monumentos se caen, las naciones perecen, las civilizaciones envejecen y mueren. Después de una era de oscuridad, nuevas

*razas crean otras. Pero en el mundo de los libros hay
volúmenes que siguen tan jóvenes y frescos como el
día en que fueron escritos, y siguen hablando al
corazón del hombre sobre los muertos de hace siglos.*

Clarence Day

Dos cosas ocurrieron en la segunda mitad de quinto grado que me convencieron de la importancia de leer libros.

Primero, nuestra maestra, la señora Williamson, tenía un concurso de deletreo todos los viernes por la tarde. Revisábamos todas las palabras que habíamos visto hasta el momento. A veces también citaba palabras que se suponía debíamos haber aprendido en el cuarto grado. Sin excepción, siempre erraba en la primera palabra.

Sin embargo, un viernes Bobby Farmer, a quien todos reconocían como el chico más inteligente de nuestra clase, tuvo que deletrear la palabra «agricultura» como última oportunidad. No bien la maestra pronunció la palabra pensé: *Yo puedo deletrearla.* Justo el día antes la había aprendido al leer uno de mis libros de la biblioteca. La fuí deletreando por lo bajo, precísamente de la misma forma en que lo hizo Bobby.

Si puedo deletrear «agricultura», seguro que puedo aprender a deletrear cualquier otra palabra en el mundo. Claro que puedo aprender a deletrear mejor que Bobby Farmer.

Esa simple palabra, «agricultura», fue suficiente para darme esperanza.

La semana siguiente ocurrió una segunda cosa que cambió para siempre mi vida. Cuando el señor Jaeck, el maestro de ciencias, nos enseñaba acerca de los volcanes, levantó un objeto que parecía un trozo de roca negro y de aspecto vidrioso.

—¿Alguien sabe qué es esto? ¿Qué tiene que ver con los volcanes?

Inmediatamente, gracias a mi lectura, reconocí la piedra. Esperé, pero ninguno de mis compañeros levantó la mano. Pensé: *Qué raro. Ni siquiera los chicos más inteligentes levantan la mano.* Entonces, levanté la mía.

—¿Sí, Benjamín? —dijo el maestro.

Escuché risitas a mi alrededor. Los otros chicos probablemente pensaban que era una broma o que estaba por decir alguna estupidez.

—Obsidiana —dije.

—¡Exacto! —El maestro trató de no parecer sorprendido, pero era obvio que no esperaba que diera la respuesta correcta.

—Es obsidiana —continué— y se forma por el sobreenfriamiento de la lava en contacto con el agua.

Una vez que atraje su atención y descubrí que tenía conocimientos que ningún otro poseía, comencé a decirles todo lo que sabía acerca de la obsidiana, la lava, el flujo de la lava, el sobreenfriamiento y la consolidación de los elementos. Cuando finalmente terminé, una voz detrás de mí susurró:

—¿Es Bennie Carson?

—Estás absolutamente en lo cierto —dijo el señor Jaeck y me sonrió. Si hubiera anunciado que había ganado la lotería de un millón de dólares, no hubiera estado más satisfecho y emocionado.

—Benjamín, lo que has dicho es total, totalmente correcto —repitió con entusiasmo en su voz. Se volvió a los otros y dijo—: ¡Es maravilloso! Alumnos, Benjamín acaba de darnos una buena cantidad de información valiosa. Estoy muy orgulloso de escucharlo hablar así.

Por unos momentos probé la emoción de un logro. Recuerdo haber pensado: *¡Caramba, todos me están mirando asombrados! A mí, el imbécil, el que todos toman por estúpido. Me están mirando para ver si en realidad soy yo el que habla.*

Sin embargo, tal vez el más asombrado de la clase era yo. Aunque había leído dos libros por semana, porque mi madre me lo había exigido, no me había percatado de cuánto conocimiento acumulaba. A decir verdad, había aprendido a disfrutar de la lectura, pero hasta entonces no había notado cómo ello se relacionaba con mi tarea escolar. Ese día, por primera vez, entendí que mamá estaba en lo cierto. La lectura *es* el camino para salir de la ignorancia y la ruta para la realización del individuo. Ya no tenía que ser más el tonto de la clase.

Durante los días siguientes me sentí como un héroe en la escuela. Cesaron las bromas sobre mí. Los chicos comenzaron a escucharme. *Este asunto me está empezando a gustar.*

A medida que mis calificaciones mejoraron en todas las materias, me pregunté: «Ben, ¿hay alguna razón por la que no puedes ser el chico más despierto de la clase? Si puedes aprender acerca de la obsidiana, puedes hacerlo también con estudios sociales, geografía, matemáticas, ciencias y todo lo demás».

Ese solo momento de triunfo me impulsó a querer leer más. A partir de allí era como si todo lo que leyera me resultara poco.

Cada vez que alguien me buscaba después de la escuela, por lo general, me encontraba en mi cuarto, encogido y leyendo un libro de la biblioteca, lo que por un buen tiempo fue lo único que deseaba hacer. Dejé de interesarme en los programas de la televisión que antes echaba de menos. Ya no me importaba jugar a «apuntar a la tapa» o al béisbol. Sólo quería leer.

En un año y medio, a la mitad del sexto grado, pasé a ser el mejor de la clase. Desafortunadamente no me había contentado con leer y aprender. También sentí que debía mostrar a todos los demás lo brillante que había llegado a ser. En ese momento, honestamente, creía que sabía más que cualquiera de los chicos de mi clase. Me creía brillante. En verdad era detestable por completo.

Este hecho importante no comenzó a hacerse claro para mí hasta que estuve en el noveno grado. Un día pregunté a uno de mis compañeros, que jamás me había tratado bien, por más que me había esforzado por ser amigable:

—¿Por qué eres tan hostil? ¿Por qué me odias?

—Porque eres detestable —dijo—. Porque sabes mucho y quieres estar seguro de que todo el mundo lo sepa.

No sé si le respondí o simplemente me alejé, pero nunca olvidé sus palabras. En quinto grado todos se reían de mí cuando no sabía nada. Ahora me odiaban porque actuaba como si lo supiera todo.

Hasta ese momento, como el conocimiento era nuevo, maravilloso y excitante, pensaba que todo el mundo quería escuchar acerca de lo más reciente que había aprendido. No me había dado cuenta qué insoportable me había vuelto. Las tajantes palabras de mi compañero me advirtieron de lo mal que estaba.

El comentario no me curó, pero sí me forzó a admitir que necesitaba cambiar de actitud. Y lo hice, poco a poco. Desafortunadamente fueron necesarias algunas otras experiencias para que, en realidad, el mensaje me impactara.

Una vez que llegué a ser conocido como Ben Carson, el alumno más inteligente de la clase, escupía las respuestas en cada oportunidad. Más que simples respuestas, cuando surgía cualquier tema, tomaba la delantera como si nadie en el grupo supiese acerca de dicho tópico.

Como noté más tarde, ello se debía a mi pasada experiencia cuando mis compañeros se burlaban de mí en quinto grado. Me llamaban estúpido, pero intentaba demostrarles una y otra vez que estaban equivocados en su apreciación. Aunque estaba convencido de su concepto respecto a mi persona, trataba de sobresalir. Fue un error y una señal de inmadurez de mi parte. Sin embargo, lo continué haciendo.

El muchacho que no daba ninguna respuesta correcta en el examen de matemáticas era otro totalmente diferente cuando realizó el de álgebra.

Tuvimos un examen parcial al que la maestra añadió dos preguntas para mejorar la nota. Cuando ella pasó cerca de mí con los exámenes pude ver que el de uno de los chicos más inteligentes del salón tenía 91 puntos. Al finalizar la clase me acerqué hasta él y le dije:

—Hola, ¿cómo te fue en el examen?

—Saqué 91.

—¿Qué te pasó? —le pregunté después de esperar a que lo pensara bien.

Como él no respondía, con aires de grandeza le dije:

—Yo saqué 110, todas las respuestas correctas más las dos extras también.

—Oh, sí. ¿Y qué...? —dijo y comenzó a alejarse.

—Quizás lo harás mejor la próxima vez —le dije sarcásticamente.

—Sí —respondió sin voltear la vista.
—Si necesitas ayuda, házmelo saber.
Se mostró como si no hubiera oído.

*   *   *

Ya en onceno grado seguía siendo el más aventajado de
la clase, lo que debe haber sido terrible para los que me
rodeaban. En un examen de química saqué 99 puntos, lo cual
era una A en la escala de evaluación, pero otros dos compañeros obtuvieron 100. Nadie me dijo nada, pero estaba seguro que ellos se sentían como en la gloria. Me habían superado
y esto nadie lo había logrado hacer en los últimos cuatro años.

Me había convencido a mí mismo de que era el mejor y
más brillante estudiante de toda la escuela. Cuando alguien
hacía algo superior, lo que era inevitable que sucediera algunas veces, me hacía pensar que no era lo máximo después de
todo. Y si no, entonces era un verdadero fracaso.

Realmente me equivoqué, me decía una y otra vez. *Si
hubiera estudiado un poco más o pensado las respuestas con más
detenimiento, mi calificación ahora sería de 100 puntos.* Por el
resto del día me sentí muy mal, como un pobre perdedor.
Esta situación me recordaba la época del quinto grado y la
forma en que me trataban los demás chicos.

«Nunca más fallaré», me prometí sin tomar en cuenta lo
que esto implicaría en mi actitud.

Ocurrió entonces un incidente que llamó mucho mi atención:
Me permitió advertir la manera de cómo los demás me veían.

Nuestra clase hizo un viaje al Museo Histórico de Detroit. Estábamos estudiando unos cuadros de Detroit en 1890.
Parado al lado de Anthony Flowers le susurré:

—¿No sería maravilloso vivir en esa época con los conocimientos que tenemos hoy en día? Podría ser más inteligente
que nadie.

—Pero si ya lo eres, ¿qué más quieres hacer?

—Sólo bromeaba —alegué.

Pero me preguntaba interiormente: «*¿Por qué no hacerlo?
¿Por qué no probar que soy más inteligente que cualquiera?*»

La simple pregunta de Anthony me forzó a observar a
Benjamín Carson. Fue un momento de lucidez en el que me

di cuenta que siempre trataba de hacer notar que era el mejor del grupo.

Ellos no apreciaban la constante información que intentaba darles. A nadie le gustaba notar que era inteligente.

Entonces otro pensamiento me impactó: «*Quizás esa no es la manera como debo conducirme. Tal vez si hiciera las cosas con más prudencia, sin hacerlas tan obvias, podría hacer mejor papel. Si sé que eso funciona y lo practico, ¿no es eso lo que cuenta? ¿Quién dice que debo hacerme el sobresaliente siempre?*»

Desde entonces cambié porque percibí la necesidad de ser diferente a como era.

Hice un autoanálisis de mi situación y noté que llegué a ser un monstruo intelectual por un simple grado y me sentí como un sabelotodo. Mi madre me recordaba cada día: «Debes ser el mejor». Esa idea llegó a formar parte de mí. Ella no pretendía que me jactara de ser el más inteligente y mucho menos que desplegara mis conocimientos de modo que fastidiara a los demás.

Me tomó mucho tiempo llegar a sentir la necesidad de ser el mejor. Mi madre trataba de hacerme entender que sólo deseaba que hiciera lo mejor que pudiera... solamente eso. Me lo decía de muchas maneras y a menudo. Sin embargo, me costó trabajo aprenderlo.

Las cosas que mejor me ayudaron a entender esta perspectiva ocurrieron cuando entré a la Universidad de Yale.

Hasta entonces creía que era más inteligente que cualquier otro. Me encontré con otros estudiantes (algunos considerados como genios) que habían sido los más aventajados en su escuela superior y que tenían mucho más conocimiento, ya que sabían cómo estudiar con profundidad. Me sentí fuera de grupo.

Estar rodeado de estos talentosos estudiantes me forzó a hacer reajustes significativos en mi modo de pensar acerca de mis habilidades.

Por unas pocas semanas experimenté las mismas emociones de mi quinto grado. Hice una búsqueda intensiva dentro de mí y oré. Esto me hizo llegar a la conclusión de que era inteligente, pero no más que cualquier otro. No había razón para creerme superior a los demás. Si quería alcanzar las metas que me propusiera, tenía que trabajar por ellas tanto como los demás, pues no era un genio de nacimiento.

Quizá esa fue la mejor lección que aprendí en el primer semestre en Yale, porque si hubiera ido a alguna universidad con menos requisitos y baja categoría, continuaría, todavía en la actualidad, creyéndome lo mejor del mundo. Estoy seguro que nunca me hubiera enfrentado a este desafío en mi vida.

* * *

Hay otro factor que jugó un papel muy importante en mi desarrollo. Tenía un terrible temperamento, lo que me hacía derribar a quien se me opusiera. Una tarde, cuando tenía catorce años, discutía con un amigo llamado Bob. Saqué un cuchillo montañés y lo lancé a mi amigo. El filo del cuchillo chocó con la hebilla de metal de su cinto.

Creyendo que había matado a mi amigo, corrí a casa, me encerré en el baño y me senté en el borde de la bañera, mi corazón se llenó de vergüenza y remordimientos por lo que había hecho. Rogué a Dios que me quitara ese temperamento.

Me arrastré fuera del baño lo suficiente como para agarrar una Biblia, la abrí y comencé a leer en Proverbios. El versículo que más me impactó fue: «Mejor es el hombre paciente que el guerrero, el que controla su temperamento más que el que toma una ciudad» (16.32).

Durante las dos o tres horas que permanecí en el baño, Dios obró un milagro en mi vida. Echó fuera mi temperamento y puedo decir, con toda honestidad, que nunca más he tenido problemas de ira.

Traigo esto a memoria, porque a partir de ese día se formó en mí el hábito de leer diariamente el libro de Proverbios. Desde esa ocasión leo ese libro día a día. Por largo tiempo no puse atención a lo que dicen esos versos con relación al orgullo. Pero, como las demás constantes amonestaciones de mi madre, comenzaron a penetrar en mí.

Finalmente los dichos de Proverbios llenaron mi mente y me forzaron a reflexionar sobre mi vida. Recuerdo en especial el versículo 23 del capítulo 29 que dice: «La soberbia del hombre le abate, pero al humilde de espíritu sustenta la honra».

Cuanto más leía Proverbios más entendía cómo Dios odia el orgullo y la arrogancia. Según leía sobre el orgullo más entendía que el Señor no se agradaría conmigo si continuaba con mi orgullo. «Aborrezco el orgullo, la arrogancia y la boca perversa» (8.13).

La liberación de la arrogancia no sucedió de la noche a la mañana, pero comenzó ese día. Desde entonces, cuando percibo que alguien nota mi arrogancia, experimento como una punzada en mi estómago.

Aún ahora, ganarle al orgullo es un esfuerzo. Si alguien hace algo excelente y otros lo reconocen, es una lucha. Para mí es peor, porque cuando tenemos operaciones exitosas las familias de los pacientes me dicen con frecuencia cosas como: «¡Eres fantástico! Eres grande». Asimismo repiten aún: «Eres maravilloso. Eres un superdotado». Comprendo lo que ellos quieren decir, pero también sé que no tendría éxito sin la ayuda de numerosas personas dotadas detrás de mí. Yo sé que si Dios no me concede esa habilidad para ser neurocirujano, no podría operar con éxito.

Como mucha gente, me siento cómodo con los halagos. Es inevitable ser el blanco de ellos. He logrado éxitos y espero tener muchos más. Sin embargo, estoy convencido de que no lograría gozar de dichos éxitos, sin la valiosa ayuda de un excelente equipo de alta calidad, integrado por personas que colaboran para que todo se realice a la perfección. Debo contar con ellos para asegurarme también de los resultados positivos después de la operación.

Hay que dar crédito a muchos, especialmente al Señor que es quien arregla las circunstancias y nos da las habilidades para hacer nuestro trabajo.

Echando un vistazo a los últimos años en el Johns Hopkins, puedo decir que he sido el primer cirujano miembro del equipo especializado en hemisferectomías.[1] Más tarde en 1987, como parte de ese equipo, logré la primera separación

---

1 Hemisferectomía: operación que consiste en remover la mitad del cerebro, para curar ataques intratables.

exitosa de siameses unidos por la parte posterior de la cabeza en la historia médica; exitosa porque ambos niños sobreviven. Para mí es fácil recordar, cuando la gente comienza con los halagos, que no soy el único sino que también el resto del equipo debe recibir la honra.

A través de los años he notado que Dios me ha concedido, además de los dones naturales de cirujano, la sensibilidad para sentir el dolor de mis pacientes. Sin embargo, eso no me da el derecho a jactarme, sólo estoy usando lo que Él me ha regalado.

Saber esto me hace ser más agradecido.

*   *   *

Muchas veces, mientras crecía, mi madre se ponía a mi lado y me decía: «Bennie, tú puedes ser todo lo que quieras ser. Pídele ayuda a Dios. Él te ayudará si te ayudas a ti mismo dando lo mejor».

O me enseñaba acerca de las metas y de los grandes logros diciéndome: «Bennie, tú puedes hacer lo mismo, pero puedes hacerlo mejor».

Todas las lecciones que mamá me daba las puedo resumir en esta máxima: *Siempre da lo mejor de ti.*

Al considerar este sencillo consejo he llegado a conocer uno de los secretos que me permitieron ascender de un ambiente pobre al lugar prominente alcanzado. Más aún quiero enfatizar que no todo lo hice por mí mismo.

En los siguientes capítulos quiero contarles no sólo cómo he tratado de dar lo mejor de mí, al pensar en grande, sino también acerca de cómo otros, al dar lo mejor, han cambiado vidas.

DOS

Mi madre, Sonya Carson

*Una madre no es alguien sobre quien apoyarse, sino
alguien que hace innecesario el apoyarse.*

Dorothy Canfield Fischer

«Gifted Hands [Manos dotadas] en realidad no trata de Ben
Carson». Le dijo una mujer a Cec Murphey, mi coautor, luego
de haber terminado de leer el libro. «Es un libro acerca de
una madre y su influencia. Incluso, en los capítulos donde
no se menciona, está allí presente en todo lo que hace Ben».

La percepción de esa mujer puede ser correcta. Cualquiera
que me conoce o que ha leído algo sobre mí, sabe que la
personalidad de mi madre tuvo un fuerte impacto en mi vida.
Este es un libro que trata sobre lo que es pensar en grande y dar
lo mejor de uno para ayudar a otros, por eso quiero relatarles
la influencia de mi madre en mis primeros años.

En este capítulo, Sonya Carson habla por sí misma utilizando sus propias palabras para referirse a la crianza de mi
hermano y la mía.

Sonya Carson

Mi propia vida comienza como el final de una novela
romántica. A la edad de trece años, prácticamente sin educación, me casé con un apuesto hombre que prometió darme
una vida feliz y excitante. Hasta ese momento, mi vida no
había sido ni feliz *ni* excitante. Aunque recuerdo muy poco
de mis padres, sí recuerdo vívidamente cómo me mudaba de
un hogar sustituto a otro, de ser ignorada y objeto de risas
por ser diferente a los demás.

Hasta el día de hoy ignoro cuántos hermanos éramos. He oído decir que fuimos veinticuatro, pero no lo sé con seguridad. Aparte de mí conozco personalmente a trece de ellos, ciertamente muchos.

De niña no tuve amigos, ni siquiera entre mis hermanos. Lo más remoto que recuerdo es que siempre me sentí diferente. Era diferente y me lo hicieron saber. Era regordeta y mi cabello tenía un tinte rojizo. No podía hablar con claridad y se reían por la forma en que pronunciaba las palabras. Quería pertenecer a ellos, pero nunca encajaba.

Entonces conocí al hombre que me arrancaría de toda aquella pobreza y sufrimiento: Robert Carson, pastor de una pequeña iglesia, quien parecía reunir todo lo que yo quería en la vida. Por lo menos al comienzo creo que lo adoré más que a Dios mismo. En ese tiempo, no sabía mucho acerca de la fe cristiana, de modo que tuvo que enseñarme todo. Iba a la iglesia, hacía todo cuanto me decía e intentaba actuar como todo el mundo.

Si adoraba a mi esposo, él me trataba casi de la misma manera. «Esta es mi muñeca de porcelana», decía cuando me presentaba. No era demasiada exageración, porque esa era exactamente la forma en que me trataba. Había perdido la gordura de mi infancia y a la vez descubierto que ser un poquito diferente me hacía sobresalir. Llegó el día en que comencé a preguntarme si se había casado conmigo sólo para exhibirme. Durante años le permití tratarme como la frágil criatura que veía en mí. El señor Carson me compraba ropa continuamente, y trataba de hacer que la vida fuera linda y fácil para mí. Cuando protestaba por el dinero gastado, decía:

—Me encanta comprar joyas y pieles finas, y cualquier otra cosa que haga resaltar a mi bella muñeca.

Al final, después de cinco años de casados, le pregunté:

—¿Por qué no tenemos hijos?

—¿Hijos? —dijo riendo—. Nena, ¡no necesitamos hijos!

—Claro que sí —dije—. Cuando la gente se casa, eso es lo que hace. Forman una familia.

Las primeras veces que mencioné el asunto de los niños hizo a un lado la idea. Pero yo era persistente.

Una de las veces que saqué a relucir el tema dijo:

—No necesitas niños. No necesitas arruinar tu hermosa figura teniendo niños. Podemos pasarlo muy bien sin ellos.

—No me importa mi figura y quiero niños.

—Me tienes a mí —recalcó—. Soy todo lo que necesitas. Y tú eres todo lo que necesito.

Su respuesta me impactó por ser tan extraña, porque la mayoría de los hombres quieren tener hijos. Pasarían al menos otros diez años antes de descubrir por qué actuaba como lo hacía.

Mientras tanto vivíamos cómodamente, tal vez casi lujosamente. Le gustaban las fiestas y siempre aparecía con alguna excusa para asistir a una de ellas. Con frecuencia comenzábamos el jueves en la noche y no parábamos hasta las primeras horas del domingo por la mañana. Muchos domingos él debía tomar salsa picante para despertarse después de una fiesta. Esa era la única manera en que podía estar listo para pararse ante el púlpito dos horas después.

Por no conocer otra alternativa iba con mi esposo a la iglesia los domingos y a los servicios de la semana. Aparte de eso, no recuerdo mucho fuera de la interminable cantidad de fiestas. En lo que se refiere a pasarlo bien, a mí me atraían muy poco las fiestas. Pero, tratando de ser una buena esposa, participaba con él.

Como no había asistido a la iglesia siendo niña, no entendía mucho lo que ocurría, de modo que miraba a las mujeres mayores (la mayoría de ellas podrían haber sido mi madre o mi abuela), determinada a imitar todo lo que hacían. Comenzaban a cantar y luego de unos pocos minutos, cuando la música se tornaba más rápida y fuerte, ellas se exaltaban. No pasaba mucho tiempo antes de que comenzaran a gritar y a mecerse al compás de la música.

Hacía prácticamente todo lo que ellas realizaban, salvo gritar, aunque no creo que alguien lo notara. Nunca pude entender bien por qué gritaban y, sencillamente, no veía alguna razón para hacerlo. (Soy el tipo de persona que necesita tener un motivo para actuar, y no podía saltar ni gritar porque todo el mundo lo hiciera.)

Sin embargo, a veces me sentía culpable y me condenaba a mí misma porque no podía responder de la misma manera que ellas lo hacían.

¿Será porque saben más de la Biblia al poder leerla y yo no?, me preguntaba. *¿Es que son mejores cristianas?* No sabía las respuestas y nunca tuve amigos cercanos en la iglesia a quienes preguntar.

Cuanto más tiempo pasaba en la iglesia, más podía ver cómo funcionaba.

El señor Carson y otros ministros pertenecían a algún tipo de asociación ministerial y pasaban mucho tiempo juntos. Una vez, en la que participábamos de una convención, uno de los predicadores comenzó a hablarnos al señor Carson y a mí. Era un hombre al que llamaban «guapo» porque era alto, apuesto, vestía las mejores ropas y tenía el tipo de voz que la gente gusta escuchar.

—Me gustaría que su esposa fuera mi secretaria —le dijo a mi esposo.

—Claro —respondió el señor Carson sonriendo, como si el ofrecimiento del hombre fuera la mejor noticia escuchada en cinco años.

—Pero —dije riéndome— apenas sé cómo deletrear mi propio nombre, mucho menos podría ser una secretaria.

—Oh, yo sé que podrás hacerlo muy bien —señaló el otro predicador mientras continuaba sonriéndome.

—¿Por qué me elige para ser su secretaria? —le pregunté—. No sabría hacer una frase completa.

Esperaba que mi esposo objetara, pero no lo hizo.

—Escucha, Sonya, eres una mujercita inteligente.

—No tanto.

—Puedo enseñarte lo que no sabes.

Mi esposo sonreía haciéndome saber que le gustaba la idea. Como mi esposo daba su aprobación, le dije:

—Todavía no entiendo este asunto, pero supongo que puedo ser su secretaria.

Al terminar la reunión de la mañana el predicador me dijo:

—Ven conmigo, Sonya, vamos a comenzar.

Nos fuimos y él me llevó a su habitación del hotel.

—Ven, siéntate —me dijo indicándome una esquina de la cama.

Ignorando la cama, me senté en una silla y extraje de mi bolso una libreta de notas y un lápiz, porque sabía que eso era lo que hacían las secretarias. Esperé preguntándome qué sería lo que debía hacer a continuación.

—Deja eso —me dijo señalando la libreta de notas y el lápiz—. Por ahora no los necesitamos.

Antes de que pudiera responder, nos interrumpió una llamada a la puerta. Abrió y el camarero entró en la habitación con una gran bandeja en la que había dos vasos y una botella de champaña, enfriada en un balde con hielo. No bien hubo dado la propina al camarero, quien nos dejó, el predicador abrió la botella y comenzó a llenar los dos vasos.

—Bebamos champaña.

—Muchas gracias —dije— pero preferiría comenzar con el trabajo que debo hacer.

Ya lo había pasado bastante mal pretendiendo que disfrutaba las fiestas con mi esposo y no quería comenzar a celebrar con este hombre. Comencé a sentirme irritada. En realidad no parecía muy serio, ni formal, pero luego me recordé a mí misma que era un ministro, un hombre de Dios. Y no dije nada más. Lo oí abrir la champaña y servir.

—Vamos, Sonya, acompáñame a tomar un trago. Avanzó hacia mí y me alcanzó un vaso.

Yo negué con la cabeza.

—Estoy lista para trabajar...

—No te preocupes por eso —dijo tomando la libreta de mi mano y arrojándola al piso—. Vamos a irnos a la cama.

Durante unos segundos lo miré esperando que las palabras se me aclararan.

—¿Vamos a qué?

Repitió sus palabras.

—¿Me está pidiendo que vaya a la cama con usted? ¿Y es usted un ministro?

Era tan ingenua que nunca se me había ocurrido algo así. Ingenua, sí, pero no era estúpida, y se lo dije.

—Búsquese otro pájaro porque este no vuela en esa dirección.

—Esa no es forma de hablar —dijo acercándoseme.

—Si se me acerca más voy a gritar diciendo que me está molestando. Si empiezo a gritar, me oirán hasta más allá de dos cuadras.

Obviamente no esperaba ese tipo de respuesta. Retrocedió y me miró con un gesto confundido en el rostro.

—Bueno, bueno —dijo—. No grites. Mira, no insistiré. Hazte la idea de que no ha pasado nada y no necesitas volver nunca más. Simplemente no permitas que nadie sepa lo ocurrido.

Recogí mi libreta y salí de la habitación.

Una vez de regreso a la convención, el predicador me ignoró. Incluso se daba el lujo de advertir a otras personas (cuando sabía que yo podía oírlo) lo siguiente:

—Ignoren a Sonya. Esa chica no sabe lo que pasa.

Quería que los demás pensaran que yo era estúpida y que no valía la pena que fueran amigables conmigo. A partir de allí, durante el resto de la convención, las demás mujeres me esquivaban. Aunque me sentía un poco solitaria y herida por ese trato, no dije nada. Después de todo había recibido uno mucho más duro en los hogares sustitutos.

Esa terrible experiencia me abrió los ojos. Continué asistiendo a la iglesia, a las fiestas y hacía todo lo que mi esposo me pedía, pero ya nada era real para mí, aun cuando no podía ponerlo en palabras en ese momento. Todo era una gran farsa.

Mi vida con Robert Carson se convirtió en una rutina después de eso. Aun cuando seguía sin hacer preguntas, observaba todo lo que pasaba. No sabía mucho sobre el cristianismo, pero la gente con la que me relacionaba no parecía encajar con lo poco que sabía.

* * *

Todavía quería ser esposa y madre. Hasta el día en que nos casamos, había trabajado duro, viviera donde viviera. Siempre había hecho lo que podía para ayudar a la familia, pero esa no era la forma en que se manejaba el señor Carson.

—Tú, cuídate —solía decir—. Prometí hacerme cargo de ti y atenderte bien, ¿verdad?

Incluso contrató una mujer para que viniera cada semana y limpiara la casa. Cuando protestaba, salía con su consabida respuesta:

—No puedo permitir que mi muñequita se canse, ¿no es así? Para él esa era una razón. Para mí significaba el aburrimiento. No tenía nada que hacer y no tenía amigos. Cuando nos casamos, mi esposo me presentó a mucha gente. Pero aunque conocía los nombres de cientos de personas, nunca me sentí parte de ellos. Lo mismo que en mi infancia, no encajaba.

Con frecuencia pensaba que si tuviéramos niños, una verdadera familia, pertenecería a alguien. Tendría un esposo y unos niños que me amaran, y podríamos estar juntos a gusto. Seguí hablando de eso a mi esposo, hasta que finalmente aceptó tener hijos. Curtis nació en 1949 y dos años más tarde, Ben.

Desde el nacimiento de Curtis, los siguientes ocho o nueve años fueron los más felices de mi vida, la única época feliz en realidad. Amaba a mis chicos y me sentía satisfecha. Ahora tenía un propósito en la vida. Por mucho tiempo no había sido feliz con el señor Carson. Era algo más que las fiestas y el exceso de bebida. Me molestaba que fuera derrochador. Recibía mucho dinero, pero lo derrochaba en cuanto le llegaba a las manos.

Por ejemplo, con frecuencia iba al centro de Detroit y si veía algo que quería que yo tuviera, lo compraba sin importarle el precio. En una oportunidad compró un collar que costaba ochocientos dólares, una gran suma de dinero, más aún en aquellos días. Hasta lo que sabía, yo era la única mujer en el vecindario que tenía un abrigo de visón, algo que de todas formas no me gustaba. En efecto, no quería esas ropas lujosas ni las joyas. Para mí tener un hogar, dos hijos y un esposo era suficiente. Si el señor Carson cambiara su modo de ser, me decía continuamente, sería una vida perfecta.

Durante tres o cuatro años después del nacimiento de Ben, mi esposo pareció aplacarse. Amaba a los niños y jugaba con ellos como un padre normal. Aparte de ser un predicador, trabajaba en una de las plantas de Cadillac.

Los niños amaban mucho a su padre. Para el tiempo en que Ben tenía tres o cuatro años, la mayoría de las tardes me preguntaba:

—¿Ya es hora de que vuelva papá?

—Todavía no —tenía que decirle.

Cuando se acercaban las cuatro de la tarde y podíamos esperar la llegada del señor Carson le decía:

—Es casi la hora.

Ben corría afuera, se sentaba en el porche y esperaba. Su padre generalmente tomaba el ómnibus y luego caminaba por el callejón hasta la casa. En cuanto lo veía, Ben corría hacia él con los brazos abiertos. Un minuto después, los dos entraban riendo y disfrutando por la sencilla razón de estar juntos.

Desafortunadamente, ese cambio en mi esposo no duró mucho. Cuando Curtis entró en la escuela, el señor Carson comenzó a actuar como si los chicos fueran un estorbo en su vida y con frecuencia no volvía a casa hasta muy tarde. Ya no tenía tiempo de jugar con Curtis y Ben o estaba demasiado cansado.

Otros hechos comenzaron a salir a la luz en relación a mi esposo... Recibía llamadas telefónicas de las que no me hubiera preocupado si no lo hubiera escuchado susurrar. Por lo tanto era evidente que no quería que supiéramos de qué se trataba.

De cuando en cuando llamaba su hermana y me hablaba. Estaba enojada con él. A medida que soltaba las palabras dejaba entrever ciertos indicios. Nunca lo acusó directamente, pero era evidente que sabía lo que él hacía. Aunque yo quería que no fuera cierto, pronto tuve que enfrentar los hechos: Tenía mucho dinero porque andaba en negocios ilegales de bebidas. Es probable, aunque no puedo asegurarlo, que estuviera metido en asuntos de narcóticos. Sé que manejaba más dinero del que hubiera podido ganar con sus predicaciones y su trabajo en la fábrica, y lo gastaba todo rápidamente.

Un día descubrí un gran secreto que sacudió mi vida. No quiero entrar en detalles, excepto para decir que el señor Carson tenía otra esposa e hijos. Se había casado años antes de conocernos y nunca se había divorciado. No podía creerlo, pero sabía que era verdad.

Confronté a mi esposo, quien después de una serie de negativas admitió tener otra familia. Cuando le hice más preguntas acerca de ellos, dijo tantas mentiras que dejé de indagar.

«¿Qué debo hacer ahora?», me pregunté durante un par

de semanas. Teníamos dos maravillosos hijos. Su bienestar estaba en primer lugar.

Determiné que intentaría hacer lo mejor que pudiera dentro de la situación. Curtis tenía siete años y Ben cinco. Estos niños *necesitan a su padre*. Decidí que por el bien de ellos no podía irme. De todas maneras, no tenía idea a dónde ir o qué hacer o cómo podría mantenerme.

De modo que procuré vivir como hasta entonces, sin embargo, cada día la situación parecía empeorar. El señor Carson estaba con menos frecuencia en la casa y cuando venía eran cada vez más frecuentes las conversaciones a media voz en el teléfono.

Nunca hablé a los niños mal de su padre. No conocía a nadie a quien pudiera hablar acerca de mi situación. No tenía amigos. Incluso, dejé de asistir a la iglesia donde predicaba mi esposo.

Por aquella época comencé a tener problemas de salud y mis nervios parecían estar continuamente a punto de estallar. Luego comencé a tener dificultades para dormir, algunas noches no lograba dormir más que una o dos horas. En una ocasión fui a un médico que me recetó un medicamento, pero seguía sin poder dormir bien. La presión se hizo tan intensa que entendí que tenía que hacer algo.

En una de las visitas mi médico me dijo:

—Señora Carson, cuéntemelo todo. Dígame, ¿qué anda mal?

—Ya se lo dije. No puedo dormir. El medicamento...

—Su problema no es físico. Es mucho más profundo —me dijo—. ¿Algún problema familiar? ¿Su esposo?

—Sí —le dije.

Hablé poco, pero sí mencioné que nuestro matrimonio no andaba bien.

—Mi esposo no está mucho en casa y gasta todo su dinero —agregué.

—Necesita hablar con un sicólogo —indicó.

—No podría hacerlo.

—¿Quiere mejorar? ¿Necesita ayuda?

Como no contesté, el médico arregló una cita para mí. Fui al sicólogo. El sicólogo, un hombre perspicaz, me dijo:

—Es obvio que usted tiene algunos problemas serios. Necesita contárselos a alguien. En estos casos hace mucho bien hablar. Puede contármelos porque no conozco a ninguno de sus vecinos o amigos. Nadie más se enterará, ni siquiera su esposo.

No fue fácil, pero al final lo hice. Me alegró tener a alguien que quisiera escucharme. Le hablé de lo que sabía y también de mis sospechas acerca de los negocios con droga de mi esposo.

—No necesita soportar más. En realidad no debiera hacerlo. Tiene que pensar en el futuro de los muchachos.

—Sencillamente, no sé qué hacer —le dije.

El sicólogo, en acuerdo con mi médico, se hizo cargo de mí y puso las cosas en marcha. Ambos me indicaron que no podía seguir en esa situación.

Por supuesto, estaban en lo cierto, no podía continuar así, pero estaba atemorizada y confundida. ¿Cómo podría mantenerme a mí misma y a mis dos hijos? Necesitaba que alguien me aconsejara. El médico y el sicólogo me enviaron a un abogado, quien opinó que debíamos tratar todo el asunto con el señor Carson. El abogado suponía que si él cooperaba se podría despejar todo el asunto con facilidad.

Pero mi esposo se negó a colaborar. Los dos médicos insistieron en que debía irme.

—De lo contrario —dijo el doctor— la seguiremos atiborrando de medicamentos.

—La presión que sufre no mejorará en lo más mínimo —dijo el sicólogo.

Aunque eso era lo que correspondía que hiciera, seguía sintiéndome muy intranquila. Empacar y marcharme con mis dos hijos fue una de las cosas más duras que hice en mi vida. Llamé a mi hermana, Jean Avery, que vivía en Boston, y le pregunté si los chicos y yo podíamos vivir con ella hasta que resolviera qué hacer.

—Por supuesto —dijo Jean.

Su esposo, William, fue igualmente persistente insistiendo en que fuéramos.

Durante los dos años que pasamos fuera de Detroit, el señor Carson se instaló con su otra mujer. Ella comenzó a firmar cheques con mi nombre y en poco tiempo acabó con cada centavo que yo había podido ahorrar, incluyendo la cuenta que había abierto para los estudios de mis hijos.

Si había tenido alguna esperanza de que nuestro matrimonio sobreviviera, se disiparon todas. Me hice a la idea que debía encarar el divorcio.

—Voy a criar dos magníficos muchachos por mi propia cuenta —le dije a mi hermana aparentando más convicción de la que realmente sentía.

Cuando pensé con más claridad sobre mi situación, no tenía idea cómo lo haría.

—Mírate —me dije a mí misma un día—. ¿Qué puedes hacer? No tienes educación. Ninguna experiencia laboral. No sabes hacer nada.

Fue entonces que me vino un pensamiento tan claro como una voz: «Puede ser, pero puedes aprender». Y sabía que podía.

Durante los dos años siguientes tuve mis altibajos. Muchas veces la presión se hizo tan intensa que no podía seguir luchando. Cuando eso ocurría tenía el buen sentido de ver que necesitaba ayuda profesional. Me internaba en hospitales siquiátricos y dejaba a los chicos con mi hermana. Ella nunca les dijo donde estaba sino sólo que debía ausentarme por algunos días.

En determinado momento, las cosas se pusieron tan mal que llegué a pensar que no podía seguir, que nada me saldría bien jamás. Estaba tan deprimida que me convencí de que a nadie le importaba si vivía o moría. Si moría, razoné, mis hijos estarán mejor en un hogar sustituto o con Jean y William que no tenían hijos. Estaba tan abatida, física y emocionalmente, que no quería luchar más.

Una mañana tomé un frasco semivacío de píldoras para dormir y las conté, una por una. Había veinticuatro.

«Esto tiene que ser suficiente», me dije. «Si las tomo me hundiré en un sueño pacífico y no necesitaré volverme a despertar».

Si mi hermana no hubiera entrado al cuarto, me hubiera visto así con el frasco de píldoras vacío y no hubiera llamado inmediatamente al hospital, no me hubiera despertado.

Al día siguiente, cuando me recuperaba del lavado de

estómago, vino a visitarme una mujer llamada Mary Thomas. Se presentó y luego dijo:

—Dios te ama.

Miré a la extraña mujer. Tenía la sonrisa más luminosa que jamás había visto.

—Jesucristo murió por ti.

—No me hable de Dios —dije. Me dolía la garganta al hablar por el tubo que el médico había colocado por allí para llegar al estómago—. No quiero escuchar esa tontería. Dios es un invento igual que todo lo demás. No quiero tener nada que ver con eso.

—Dios te ama —insistió de nuevo en voz baja.

Volvió a sonreír tan refulgentemente, que no pude dudar de su sinceridad. La ignoré, pero ella no se fue. Se quedó a un lado de mi cama. Con voz dulce me dijo que Dios no se había dado por vencido conmigo y que jamás lo haría.

—¿Quiere hablar? —pregunté finalmente—. Entonces dígame alguna otra cosa. Podríamos partir de la misma base sobre algún otro tema, pero que no tenga nada que ver con Dios. Él no sirve de nada. Lo sé porque estuve casada con un ministro.

—No sé sobre su esposo, pero sí acerca de Dios.

Con tranquilidad, Mary Thomas habló acerca de Dios y citó varios pasajes bíblicos. Era diferente, debía admitirlo, de los cristianos que había conocido antes. No importa lo enojada que me mostrara o la torpeza de mis reacciones, ella nunca discutía conmigo ni se molestaba.

Mary siguió visitándome. Lentamente comencé a sentir que ella se preocupaba por mí. Hablaba acerca de Dios. A veces abría su enorme Biblia y leía algunos pasajes. Una vez me alcanzó la Biblia.

—Toma, léelo por ti misma —dijo.

Negué con la cabeza:

—No sé leer bien.

—Entonces te ayudaré. Prueba.

Mientras intentaba leer, ella me animaba, ayudándome a pronunciar las palabras difíciles y diciéndome el significado. Antes de que abandonara el hospital me regaló una Biblia.

—Es para ti, Sonya —dijo.

—¿Para mí? ¿Por qué?

—Quiero que la tengas. Es un regalo.

Al recibirla, me sentí sorprendida de que se interesara tanto como para regalarme una Biblia. Parecía un regalo muy especial.

—Espero que la leas.

No respondí. Creo que hubiera llorado si hubiera intentado hablar. En ese momento decidí que aprendería a leer la Biblia. *Si cualquier otro puede leerla*, pensé, *yo también puedo*.

Entonces me vino otro pensamiento: *Si cualquiera puede hacerlo, yo lo puedo hacer mejor*. No me preocupaba si era verdad o no, pero la idea me hizo cambiar de actitud. *Puedo hacer cualquier cosa que me proponga*. Ese descubrimiento me produjo una voluntad de hierro. De ahí en adelante decidí que podía aprender a hacer cualquier cosa que otro pudiera hacer.

Ese pensamiento poderoso llegó a ser tan importante para mí, que no podía dejar de pensar en eso. Continuamente, mientras iban creciendo, le decía a mis hijos: «Muchachos, si cualquier otro lo puede hacer, ustedes pueden hacerlo mejor».

Yo lo creía y quería que ellos también lo creyeran.

* * *

Jean y William Avery se habían hecho Adventistas del Séptimo Día, de modo que me parecía natural asistir a la iglesia donde ellos iban. Aprendí más y más acerca de un Dios que nos ama, y acerca de Jesucristo que murió por nosotros. A medida que aprendía lentamente a leer la Biblia, también comencé a creer. Llegó el día en que tuve que enfrentar otra debilidad. Los pensamientos suicidas volvieron a perturbarme. Pero siempre recordaba las palabras del pastor: «Hay un Dios, un Dios que se interesa. Este Dios puede hacer grandes cosas por ti». Había dicho muchas más cosas, pero recordaba solamente eso.

«Dios, tienes que ayudarme», dije, «ni siquiera sé si estoy orando bien pero comprendo que necesito tu ayuda».

Nada había cambiado drásticamente, pero sabía que

Dios me había escuchado, tenía la certeza de que estaba conmigo y me ayudaría.

Un día dije: «Señor, si has podido hacer el mundo de la nada, puedes tomar mi situación y hacerla funcionar por el bien de los muchachos. No lo pido tanto por mí, sino por mis hijos, que necesitan ayuda. Merecen tener una oportunidad».

De allí en adelante, Dios hizo cosas asombrosas en mi vida. Oraba para pedir su dirección y luego sabía muy bien qué hacer. No era tanto una voz, sino una certeza. Sentía lo que debía decir o hacer. Cada día, una y otra vez, oraba para que Dios me ayudara a decir y hacer las cosas correctas para motivar a mis hijos y no desanimarlos. No quería obligarlos a nada, sino solamente llevarlos con amor a querer hacer lo correcto.

*   *   *

Encontré trabajo enseguida, aunque no ganaba mucho. No tuve problema para hallarlo porque estaba dispuesta a hacer cualquier cosa. También me esforzaba mucho para llevar adelante la filosofía de realizarlo mejor que cualquier otro lo pudiera hacer. Cuando limpiaba un piso, no cesaba hasta convertirlo en el más lustroso que jamás se hubiera visto.

Ninguno de mis empleos me daba muchas ganancias. Pero no me importaba. Trabajaba y mantenía a mis hijos.

Recuerdo que por esa época le dije a Dios: «No tengo amigos. No tengo a quién recurrir. Dios mío, tú tendrás que ser mi amigo, mi mejor amigo. Tendrás que mostrarme cómo hacer las cosas y darme sabiduría, porque no sé qué hacer».

Por aquel entonces escuché una propaganda en la radio o la televisión que afirmaba: «Haga lo mejor de su parte, nosotros nos ocupamos del resto». Eso decía. Esa idea expresaba lo que sentía respecto a Dios. Le daría lo mejor y luego dejaría a su cargo el resto.

Me pregunto cuántas veces, en los doce años siguientes, oré diciendo: «Dios mío, tienes que hacer algo por mí, soy un cántaro vacío frente a un manantial rebosante. Tienes que llenarme. Tienes que enseñarme».

En esos años realmente aprendí a confiar en Dios. Nos convertimos en amigos y compañeros.

* * *

Con dos trabajos y ahorrando cada centavo que podía, finalmente pude llevar a mis hijos de vuelta a Detroit. Los dos habían estado muy bien en la escuela hasta que nos fuimos, pero habían regresado muy mal. En parte, por supuesto, por la separación de su padre, el tener que vivir en un edificio compartido en Boston y el asistir a la escuela con niños que no parecían tener algún interés en aprender.

«Vamos a salir adelante» les dije, «porque Dios nos va a ayudar». Afortunadamente sabía coser, de modo que pude mantenerlos vestidos. No sería la clase de ropa que les gustaría usar, pero estaba limpia.

Un día les dije a los muchachos:

«Vamos a tener un "altar familiar"». Así le llamábamos en la iglesia adventista. Significaba que los tres leeríamos la Biblia y oraríamos juntos. Lo haríamos cada mañana. Costaba encontrar el tiempo adecuado, pero lo hicimos. Muchas veces tenía que salir temprano, antes de que ellos se hubieran levantado. Les dejaba puesto el reloj despertador.

«Muchachos, tienen que levantarse después que me vaya. Oren por su cuenta y pídanle a Dios que los guíe y les dé fuerzas. Pídanle que envíe sus santos ángeles para cuidarlos y ayudarlos a estudiar lo mejor que puedan».

Durante todos esos años de crecimiento seguí trabajando en dos, a veces tres, empleos. Sabía sobre la asistencia pública, pero no quería acceder a esa vía, porque había visto demasiadas madres que terminaban dejando de luchar. En determinado momento sí recibimos bonos para alimento, pero solamente por unos meses. Quería ser independiente y ganarme mi propio sustento. De acuerdo a las leyes del divorcio, el señor Carson debía proveer para el sostén de los niños, pero nos pasaba muy poco.

«Haré lo mejor que pueda, Señor», decía al salir de casa cada mañana, «tú haz el resto».

* * *

Ben ha contado la historia de su desastroso boletín de quinto grado. Cuando vi lo mal que andaban los muchachos, me desanimé. Aun cuando hubiera podido estar en casa, no sabía lo suficiente como para ser de ayuda. Por muy mal alumno que fuera Ben, en quinto grado, podía leer mejor que yo.

Durante ese tiempo había aprendido a leer palabras en voz alta, por lo tanto mejoré mucho en la lectura. Gracias a ello, esa actividad se había convertido en lo más importante para mí y sabía que también lo podía ser para mis hijos, porque si ellos se interesaban en la lectura, podrían aprender cualquier cosa que quisieran saber.

«Señor, tú eres mi compañero y mi amigo», oré. «No sé qué hacer con Curtis y Ben. Están fallando en todo. Tienen que mejorar. Especialmente, tienen que aprender a leer».

Mientras oraba, se me ocurrió la idea de ponerlos con la tarea de lectura.

«Aprendan a hacer todo lo mejor que puedan», les decía, «y Dios hará el resto. Cualquier cosa que elijan realizar en la vida, lo pueden hacer. No les voy a decir qué tienen que ser, pero creo que podrían ser el presidente, un piloto o el mejor médico del mundo. También pueden ser el mejor carpintero de la tierra. Cualquier cosa que decidan hacer, simplemente hagan lo mejor».

Por momentos, alguno de los muchachos se enfrentaba con cierta dificultad y quería abandonar, pero yo no se lo permitía.

«Curtis, eres suficientemente inteligente para hacer esa lección. Alguien tuvo que pensarla y quien quiera que haya sido sabía las respuestas. Tú puedes hacer lo mismo».

Sus calificaciones mejoraron cuando empezaron a leer dos libros por semana. No les dije que tenían que volver a casa con un boletín lleno de «excelentes», pero sí que tenían que mejorar en todas las materias. Cuando uno de los muchachos no mostraba una marcada mejoría, me acercaba con todo el amor y el entendimiento que podía.

—Para el próximo boletín de calificaciones —decía—, tienes que mejorar mucho.

Durante el quinto grado, el mayor problema de Ben fueron las matemáticas. Al hablar con él descubrí que no conocía las tablas de multiplicar.

—Ben, tienes que aprenderlas —dije—. Si supieras las tablas, las matemáticas te resultarían más fáciles.

Me miró confundido. Luego tomó el libro y me mostró las tablas impresas.

—Aquí están desde el dos hasta el doce. ¿Qué hago con ellas? Son demasiadas.

—Debes memorizarlas.

—¿Todas? ¡Me llevaría todo el año!

—Escucha, Ben, a *ti* no te llevará un año. Tal vez a algunos muchachos sí les lleve todo el año, pero ellos tienen apenas la mitad de tu inteligencia. Comienza ahora mismo. Estúdialas. Dos por dos es cuatro. Dos por tres es seis. Dedícate hasta aprenderlas todas.

—Nadie puede memorizarlas todas.

—Bennie, yo no pasé de tercer grado, pero las sé —le dije y comencé a recitar la tabla del nueve.

Cuando Bennie descubrió que podía repetir todas las tablas hasta la del doce, también entendió que no lo dejaría hasta que las supiera.

—Mamá, eres la madre más desconsiderada del mundo. Tratas de hacerme aprender todo esto. Es un trabajo muy duro.

—El trabajo duro no te hará daño —respondí—. Además, creo que eres el chico más inteligente del mundo. Creo que establecerás un récord en aprenderlas.

No alcé la voz. Trataba de no levantarla nunca, pero Bennie entendió que la única forma de hacerme callar sería aprendiendo las tablas.

Estuve con él durante un rato y estaba lográndolo bastante bien, pero a Bennie le gustaba jugar. Como no trabajaba tan bien como pensaba que debía hacerlo, le declaré:

—Bueno, no puedes salir a jugar hasta que aprendas las tablas. Todas, hasta la del doce.

Las aprendió de prisa.

*   *   *

No recuerdo haber azotado a ninguno de los dos muchachos más de una o dos veces. Porque recordaba vívidamente mi propia infancia y las palizas periódicas que me propinaban. No quería que Curtis y Ben tuvieran ese mismo tipo de recuerdo. Si hablo con ellos lo suficiente, pensaba, puedo lograr que hagan lo correcto sin tener que castigarlos.

—Puedes lograrlo —les decía—. Prueba ahora. Veamos qué tal lo puedes hacer.

Ambos muchachos respondían. A veces sus trabajos no estaban a la altura de mis expectativas, pero habían hecho lo mejor que podían. En esos casos les decía:

—La próxima vez saldrá mejor.

En una oportunidad los muchachos no cumplieron con sus tareas de la casa ni de la escuela. Curtis dijo:

—Ben no quería que hiciera mi trabajo, así que no lo hice.

—Lo que Ben quiere que hagas no importa. Lo importante es lo que tú quieres para ti mismo. Nadie puede impedirte hacer lo que quieres, si eso es lo que has decidido. Siempre podrás encontrar de dónde sacar excusas, pero son sólo eso, excusas. No tienes que culpar a nadie sino a ti mismo. Nadie más te hace fracasar.

Pocos días después que dije eso a Curtis llegó por casa un hombre que vendía libros. Uno de ellos tenía una poesía que me gustó. Compré el libro y la memoricé: «La culpa es tuya». Con frecuencia se la recitaba a los muchachos, porque decía lo que en realidad creía.

Aquí está parte de la poesía:

> Si las cosas te salen mal
> y te sientes un poco avergonzado,
> con frecuencia descubrirás
> que la culpa es tuya[...]

> Corremos de prisa al mal
> y luego viene la mala suerte.
> ¿Por qué culpamos a otros
> si la culpa es nuestra[...]?

> Cualquier cosa que nos suceda
> esto es lo que solemos decir:
> «Si no hubiera sido por esto o aquello
> las cosas no me hubieran salido así».
> Y si no tienes amigos,
> te diré qué hacer:
> examínate,
> y hallarás que la culpa la tienes tú[...]

Eres el capitán de tu barco,
si estás de acuerdo con eso
y lo encaminas cuesta abajo,
sólo puedes culparte a ti.[1]

*   *   *

Cuando Curtis tenía once años y Ben nueve, observé que los muchachos discutían casi todos los días sobre quién tenía que lavar y quién secar los platos. Terminaban haciendo problemas por todos los trabajos de la casa. Cuando intervenía ambos se disgustaban conmigo.

—Siempre nos dices lo que tenemos que hacer —observó Ben—. Por eso no hacemos nada hasta que nos lo repites cincuenta veces.

—Sí —asintió Curtis.

No dije mucho en ese momento, porque no sabía cómo contestarles. Durante los dos días que siguieron oré respecto a lo que me habían dicho.

«Dios mío, necesito ayuda otra vez», pensé. «Necesito un plan para hacerlos sentirse responsables de sí mismos. Dame sabiduría para que no se resientan de que les tenga que decir lo que deben hacer». Se me ocurrió una idea.

Esa noche llamé a los muchachos a la mesa y le dije a Curtis:

—Te diré una cosa. Sé que no te gusta que les dé órdenes. Vamos a cambiar eso. Me propongo hacer lo mejor que puedo para organizar las cosas, pero vivo bajo mucha presión. Seguramente que ustedes pueden escribir unos planes que funcionarán mejor que los míos, ¿no te parece?

Curtis no dijo mucho, pero se entusiasmó cuando vio que hablaba en serio. Luego asintió.

—Escribe las reglas como te parece que deben ser. Anota las tareas que te gustaría hacer y ese será tu trabajo. Apúntate tantas estrellas de plata como creas conveniente por hacerlo bien.

—Bueno —dijo.

—¿Qué te parece esto? —sugerí—. Ustedes ganarán es-

---

1 Mayme White Miller.

trellas azules por hacer algo mejor de lo normal y doradas por lograr un óptimo resultado.

—Me gusta esa idea —dijo Ben.

—Eso no es todo —agregué—. Les he asignado cierta cantidad de dinero. Desde ahora en adelante, la suma que les dé dependerá de cómo realicen su trabajo.

Los muchachos lo discutieron entre ellos y se pusieron de acuerdo. Curtis comenzó a escribir las reglas. Para mi sorpresa anotaron tareas que no hubiera pensado ordenarles. Cosas realmente difíciles. Tal como lo recuerdo, estas son algunas de las cosas que anotaron:

— Cortaremos el césped.
— Lavaremos los platos y mantendremos los pisos limpios cuando vengas del trabajo.
— Doblaremos la ropa (yo hacía el lavado, pero eso no se ofrecieron a hacer).

También agregaron la hora del día en que harían cada uno de los trabajos.

—Ahora no nos digas lo que debemos hacer —señaló Curtis.

—No lo haré —respondí.

En verdad hicieron lo prometido, pero más que eso, aprendieron a cooperar el uno con el otro.

Estaba tan orgullosa de ellos, que luego de algunas semanas dije:

—Como lo han hecho tan bien, les diré qué vamos a hacer. Una semana del mes, ustedes me van a decir a *mí* qué hacer. Las otras tres semanas seré yo quien se los diga.

Funcionó de maravillas. Fueron tan amables conmigo, que yo quería que siguieran las otras tres semanas, pero no se los pedí. Hacían tareas como limpiar el refrigerador y planear las comidas. Como parte de sus responsabilidades decidieron asegurarse que nuestras comidas fueran balanceadas. Tal vez no lo hicieron tan bien en ese aspecto, pero al menos lo intentaron. Sin embargo, después de algunas semanas más de este acuerdo, Ben dijo:

—¿Sabes? Me gustaba más cuando tú nos decías lo que debíamos hacer.

—¿Y a ti, Curtis? —pregunté—. ¿Te gustaba más de la otra forma?

Él asintió.

—Bueno, entonces ustedes han decidido que tal vez no soy tan mala madre después de todo.

—Eres una buena madre —dijo Curtis.

—La mejor madre del mundo —agregó Bennie.

Después de eso nunca hemos vuelto a discutir respecto a quién haría qué.

*   *   *

Creo que si tenemos algo en nuestra cabeza, nadie nos lo puede quitar. No aceptaba excusas por el fracaso. Especialmente, no permitía que mis muchachos usaran el prejuicio racial como excusa. Me topaba con esas actitudes cuando trabajaba afuera, pero no tenía por qué aceptar las cosas que la gente decía acerca de las personas de color o de cualquier otra. Después que me familiaricé con Dios y entramos en compañerismo, supe que Él no hace que una raza o una nacionalidad sea inferior o superior a otra. Éramos de color, pero eso no significaba que fuéramos torpes y estuviéramos destinados a fracasar. Dios ama a todos y sólo quiere buenas cosas para nosotros. Traté de que mis hijos entendieran que lo que Dios hace por uno, lo hace por cualquier otro. Solía decir a Curtis y a Ben:

—Pienso que Dios hizo diferentes nacionalidades para ver cuál sería nuestra reacción los unos con los otros. Tal vez lo hizo como una medida especial para ver si podíamos amar a alguien diferente a nosotros.

Un día, mientras leía, observé este versículo en la Biblia: «Si alguno dice: "Yo amo a Dios", y odia a su hermano, es mentiroso. Pues el que no ama a su hermano, a quien ha visto, tampoco puede amar a Dios, a quien no ve. Jesucristo nos ha dado este mandamiento: El que ama a Dios, ame también a su hermano» (1 Juan 4.20-21).

Mis muchachos aprendieron una lección tan importante como sencilla: *Dios nos ama a todos y todos somos iguales para Dios.*

*   *   *

Los chicos estaban bien en la escuela. Todavía teníamos algunos problemas para arreglar en casa. Resolvimos el último asunto grande cuando establecí la regla de que, si iban a venir tarde, tenían que llamarme al lugar donde trabajaba (me aseguré de que siempre tuvieran los números de teléfono).

—De esa forma, todos *sabremos* dónde están los demás.

El hogar, entonces, resultaba espléndido y la escuela excelente. Pero tenía algunos problemas con los vecinos. Se habían enterado de las reglas de nuestra casa y me hicieron saber que no les gustaba la forma en que estaba criando a mis hijos.

A una mujer en particular le gustaba decirme cómo debía educar a mis hijos. Cuando descubrió que los muchachos me ayudaban a cocinar dijo:

—Estás haciendo que tus chicos se vuelvan maricas y nunca van a llegar a nada.

—Di lo que quieras, pero mis muchachos serán algo. Están aprendiendo a mantenerse y a amar a otros. No importa lo que decidan ser, ¡lo serán y de lo mejor! —repliqué y me marché.

En ese momento, no sabía lo que quería decir la palabra «marica», pero por la forma en que ella lo dijo entendí que no era algo bueno. Finalmente busqué la palabra en el diccionario.

Me dolía, por supuesto, que mis vecinos dijeran cosas desagradables, pero actuaba como si no me molestara. Tenía un plan: Mis muchachos tendrían una buena vida porque con la ayuda de Dios encontrarían su propio camino.

Mi trabajo era prepararlos. Y me volvía a Dios por ayuda a cada paso del camino.

Desde entonces, preparada para hacer la voluntad de Dios, estudié y obtuve un título en educación general, continué con la enseñanza media,[2] y llegué a ser decoradora de interiores especializándome en restauración de muebles, tapicería y cerámica.

---

2 Mientras asistía a la escuela media daba clases de costura.

TRES

Personas que guiaron, inspiraron e influyeron

Un maestro afecta la eternidad; nunca puede saber
dónde termina su influencia.

Henry Brooke Adams

No hay como una persona que haya logrado ascender en la vida por sus propios esfuerzos. Algunos pueden discutirlo, pero yo lo sostengo por mi propia experiencia. Es verdad que vengo de un hogar pobre, de madre soltera, donde ella trabajaba de diez a quince horas todos los días para evitar que dependiéramos de la beneficencia social (aunque en una oportunidad tuvimos que hacerlo). En quinto grado nadie desafiaba mi posición como el peor de la clase. Asimismo también descubrimos que mi vista era tan mala, que no podía ver a la maestra desde el fondo del aula. Sin embargo, hasta que no me hice una revisión y recibí un par de espejuelos, no supe la visión tan pobre que tenía.

Mi lista podría seguir, pero creo que ya aclaré mis orígenes. Como indiqué en el capítulo anterior y en mi primer libro, *Gifted Hands* [Manos dotadas], he andado un largo camino. *Pero no lo he hecho solo.*

A lo largo de mi vida, y en varias oportunidades, he recibido la influencia de personas singulares, que me han permitido ir escalando desde lo más bajo de mi clase hasta la cumbre de mi profesión. No podría haberlo hecho sin esas personas *especiales.*

En este capítulo menciono a aquellos a quienes considero mis mentores, personas extraordinarias que vieron el potencial en mí mucho antes de que yo lo percibiera, o me

49

desafiaron a hacer más, aun cuando no se daban cuenta de que lo estaban haciendo. Fueron las que me guiaron hacia la excelencia.

En primer lugar está William Jaeck, mi maestro de ciencias de quinto grado, el hombre que me encaminó a superarme. Además de ser un individuo genuinamente agradable, fue el primer maestro que reconoció mi capacidad intelectual. Desde que tengo memoria, mi madre me había venido diciendo: «Ben, eres un chico inteligente». Pero cuando un maestro dijo: «¡Magnífico!» e incluso hizo notar a la clase el valor de mis conocimientos fue el comienzo del cambio para mí.

Desde aquel momento que en su clase identifiqué la obsidiana formada de lava, William Jaeck comenzó a tenerme en cuenta. Tal vez vio una chispa de talento para la ciencia. Mostró interés en mí, aunque no estoy seguro de la razón. Siendo un niño sin padre, que trataba de levantarse del nivel más bajo de la clase, probablemente hubiera respondido a cualquiera que se tomara el trabajo de mostrar interés en mí.

El señor Jaeck, a quien recuerdo como un hombre alto, con una voz fuerte que transmitía entusiasmo, enfatizaba el estudio de la naturaleza y los animales. Para dar más significado a su clase, el señor Jaeck no sólo mostraba láminas: Su sala de ciencias contenía una colección de animales. Una que otra vez recuerdo haber visto una zarigüeya, una comadreja, un ratón, un conejillo de Indias y diferentes pájaros. En cierta ocasión trajo una ardilla roja recién nacida que, según dijo, había sido abandonada. Los alumnos de la escuela Higgins la criamos y bautizamos con el nombre de «Maynard».

Varias veces nos llevó de excursión al campo. Una vez fuimos a una laguna cercana para que pudiéramos ver los patos y los peces. En otra ocasión examinamos los árboles y las flores en un cementerio. Recuerdo en especial cuando todo el quinto grado fue a una exposición de flores en el centro de Detroit.

El cambio en la relación con el señor Jaeck se dio el día en que identifiqué en clase la piedra negra con aspecto vidrioso de obsidiana. No solamente me tomó en cuenta y se aseguró de que el resto de la clase supiera de mi logro, sino que también hizo algo más que nunca olvidaré (¡y por lo que estaré agradecido para siempre!). Antes de seguir con su clase ese día, dijo, de manera casi casual: «Benjamín, ¿por qué no vienes conmigo a la salida de la escuela? Vamos a ver la forma de hacer una colección de rocas».

Estoy seguro de que no se daba cuenta del impacto que causaron sus palabras en mi vida. Con su ayuda comencé una colección de rocas. Además, me permitió trabajar directamente con sus animales y peces. (De manera singular recuerdo cuando jugaba con su cangrejo.)

Cada vez que conversábamos estimulaba mi interés enseñándome algo nuevo o confirmando alguna cosa que yo había aprendido antes. Poco tiempo después el Sr. Jaeck me permitió mirar a través de su microscopio para observar los protozoos y examinar las plantas microscópicas.

El Sr. Jaeck, un apasionado de las ciencias, enseñaba la materia de tal forma que me contagiaba parte de su entusiasmo. A partir de ese momento quedé prendido a las ciencias.

Mi amor por esta rama fue reforzado por Frank McCotter, mi profesor de biología de la escuela media, el segundo educador de mi vida. Era del Cáucaso, de un metro setenta de estatura, de contextura media y usaba espejuelos. Lo encontré por primera vez en el noveno curso. Mi hermano, Curtis, recibió biología con el Sr. McCotter y había sido un estudiante ejemplar. Como Curtis me había precedido e hizo un trabajo destacado en sus cursos de ciencias, supuse que me había abierto el camino para que los profesores esperaran lo mismo de mí. Aunque no lo podía asegurar en aquel entonces, ahora sé que el Sr. McCotter creía que yo tenía una gran capacidad natural.

Hasta que se graduó, Curtis trabajó como asistente del laboratorio de ciencias de la escuela, un trabajo de media jornada. Cuando comencé el undécimo curso y se presentó la vacante, el Sr. McCotter me ofreció el anterior trabajo de Curtis. Durante los dos años siguientes fui ayudante del laboratorio de ciencias. Muy en especial estoy agradecido que el Sr. McCotter me tratara como si mis opiniones contaran. También sabía cómo estimular mi interés sin hacerme sentir forzado o manipulado. Por ejemplo, en una ocasión me dijo:

—¿Qué tipo de proyecto te gustaría presentar en la feria de ciencias?

Cuando dudé, señaló:

—Mira, te daré algunas ideas, piensa en ellas. Trabájalas un poco y luego decide lo que quieres concretar.

Me gustó la forma en que expresó la cuestión. No dijo: «Ben, creo que eres bastante bueno, así que me gustaría que presentes un proyecto en la feria de ciencias». La forma en que planteó la cuestión me demostró que pensaba que yo haría un buen trabajo. También daba por sentado que me gustaría participar de ese evento.

Para él (al menos así me parecía) no había duda sobre mi capacidad para hacer un proyecto destacado. Solamente quería ofrecer su consejo. El Sr. McCotter hizo mucho a favor de mi autoestima. Como creía en mi capacidad, yo también pude creer en ella.

En sus clases descubrí que el Sr. McCotter no sólo estaba dispuesto a proveer los elementos que necesitaba, junto con los recursos y los libros de referencia, sino también a ofrecer su mano de obra para ayudar a concretar el proyecto.

Después de observar mi trabajo en varios proyectos de ciencia que me había sugerido, no pasó mucho tiempo antes que él me hiciera montar los experimentos para otros estudiantes. Sin embargo, no se detuvo allí. Poco tiempo después me llevó al profesor de física, luego al de química y les dijo a ambos: «Tengan en cuenta a Ben. Puede ayudarlos a montar sus experimentos. Basta con que le digan una vez lo que quieren y denlo por hecho».

Con su recomendación comencé a colaborar con el montaje de experimentos en otros laboratorios.

Todas estas cosas, desde las oportunidades para probar experimentos hasta su aprecio demostrado con sus palabras, me ayudaron a tener fuerza ante cualquier reto científico. Comencé a sentirme más seguro de mí mismo y confiado en mi capacidad en el campo de la ciencia. Frank McCotter me ayudó a lograr esa seguridad.

Señalo el hecho de que él se convirtió en un guía para

mí, porque no quiero subestimar la importancia que tiene sentirse *especial*. (Ese sentido que un estudiante recibe frente a un profesor que no solamente dice en palabras, sino más bien en hechos: «Estás dotado. Eres realmente especial. Soy muy afortunado de tenerte en mi clase».)

Sólo un educador muy bueno puede hacer eso por un estudiante. Además, cuando la mayoría de los maestros están a cargo de un grupo de cien o más estudiantes, es extremadamente difícil relacionarse en forma individual con cada uno de ellos. Sin embargo, sé que es posible, porque el Sr. McCotter lo hacía..Gracias a su confianza en mí descubrí que tengo talento.

El profesor tenía otra cualidad significativa que advertí cuando maduré un poco más. Me hacía sentir que si tenía algún problema podía hablar con él. Encontraba tiempo para escuchar aun cuando significara alterar sus planes. Ningún adulto me había mostrado jamás ese tipo de atención, por lo cual siempre le he estado agradecido.

El tercer mentor en mi vida fue Lemuel Doakes, el director de la banda de música. Aunque había estado en la banda desde la escuela elemental no conocí al señor Doakes hasta que estuve en el décimo curso.

Sin contar el período de dos años que pasé en la escuela parroquial de Boston, el Dr. Doakes fue el primer maestro de color que tuve. De estatura media parecía un físicoculturista.

Podría enumerar una lista de cualidades admirables, pero más que todo me gustaba porque era un hombre estricto. Más tarde supe que, aunque tenía un verdadero sentido del humor, no permitía que nada interfiriera con el logro de sus objetivos en nuestra clase de música.

Además de apasionado, el Sr. Doakes era conocedor de su música. Sabía sobre la historia de la música, los compositores y podía tocar casi todos los instrumentos. Gracias a su destacado talento, como músico y maestro, sabía cómo inspirar a los demás. Prácticamente sin usar palabras tenía la habilidad de hacernos pensar: «Mira, puedo hacerlo. Si yo puedo, también lo puedes tú». Si alguna vez conocí una persona que viviera con el principio de dar lo mejor de sí, fue Lemuel Doakes.

Lo más amable que puedo decir sobre nuestra banda de

música, para la época en que el Sr. Doakes llegó a la escuela media Southwestern, es que no era muy buena. En especial la banda marcial. Eso no preocupó al Sr. Doakes. «No me importa cómo eran ni lo que no eran», indicó. «Ahora, *van a ser* la mejor banda marcial de la ciudad de Detroit. ¡La mejor en el estado de Michigan! ¡Tal vez la mejor en los Estados Unidos!»

No me atrevo a hablar por los demás, pero puedo decirles que el maestro me hizo pensar que en realidad *podíamos* ser la mejor (no, que *seríamos* la mejor) una vez que nos enseñara. En el lapso de un período escolar, Lemuel Doakes transformó una banda marcial de mal gusto, en un grupo coreográfico de primera clase.

En efecto, pronto el Sr. Doakes nos puso a competir con las mejores bandas de la ciudad. Cuando estaba en el duodécimo grado fuimos elegidos para participar en la parada del «Día de Recordación» por los caídos de la patria, un gran honor para nosotros. Desde entonces he tenido varios momentos de orgullo en mi vida, pero ninguno que me hiciera sentir más feliz y seguro de mí mismo que la parada de aquel día. Lemuel Doakes fue quien nos hizo de los buenos, porque no nos permitía conformarnos simplemente con hacerlo bien o a nivel de término medio.

«Son los mejores», nos decía muchas veces. «Es por eso que quiero que integren esta banda marcial. Están aquí porque siempre se proponen hacer lo mejor. Poseen un verdadero talento y los voy a ayudar a que lo desarrollen. Ahora mismo puedo ver lo que tienen. Voy a insistir hasta que sepan lo buenos que son. Cuando lo reconozcan, también lo sabrá todo el mundo».

¿Eran sólo palabras para animarnos? Tal vez. No obstante, eran más que simples frases con el poder de mantenernos a su alrededor. Por la forma en que hablaba sabíamos que creía con toda honestidad lo que decía sobre nosotros. De alguna manera nos inspiró la sensación de que siempre podíamos hacer las cosas un poco mejor. No protestaba ni nos culpaba cuando no lo hacíamos perfecto y siempre nos hemos alegrado por ello. Al contrario, continuamente nos instaba a poner un poco más de energía en nuestros esfuerzos.

Cuando no lograba lo que esperaba, el Sr. Doakes me hacía una seña afirmativa, a veces sonriendo: «Lo vas a lograr, Ben. Ya eres muy bueno. Te falta muy poco. Sigue intentando».

Un chico como yo, al escuchar ese tipo de palabras, hubiera hecho cualquier cosa en el mundo por Lemuel Doakes. Él lograba que quisiera volver a casa y practicar durante horas. Estaba tan impresionado de lo mucho que había podido lograr conmigo y con los demás, que estaba convencido que era absolutamente el mejor maestro de música del mundo.

Lemuel Doakes hizo otra cosa en mi vida, algo por lo que siempre le estaré agradecido. En la escuela elemental había empezado a aprender a tocar el clarinete porque Curtis ya tenía uno. Más tarde lo hice con la trompeta. Cuando llegó el Sr. Doakes me dijo: «Ben, ¿por qué no aprendes a tocar el saxofón? Creo que lo harás muy bien».

Por supuesto, me cambié. Estaba en lo cierto. Aprendí fácilmente el saxo. No sé por qué me hizo estudiar otros instrumentos, pero sí que cada vez que me sugería algo, lo tomaba como una orden. Cuando lo lograba bien, crecía mi confianza un grado más hacia la adquisición de un fuerte sentimiento de autorrealización.

Sea como fuere, no todos se sentían como yo. Recuerdo en particular un día cuando habíamos practicado una pieza de música una y otra vez:

—Debemos haber hecho esta pieza cientos de veces —dijo el redoblante.

—Nos trata como esclavos —dijo uno de mis amigos.

—Sí, ¿no sabe acaso que Lincoln ya abolió la esclavitud? —dijo el segundo trompetista.

Aun cuando quería sentirme parte de la muchachada, no conseguían hacerme decir nada en contra del Sr. Doakes, ni siquiera en broma.

Las quejas eran comunes a espaldas del profesor, por supuesto. Es probable que él supiera lo que los estudiantes estaban diciendo. Tal vez lo esperaba, pero no aflojaba.

—Lo pueden hacer mejor —decía—. ¡Y lo van a hacer perfecto!

Después de haber practicado una marcha, durante lo que nos parecieron horas, uno de mis amigos dijo:

—Ya lo hicimos bastante bien, ¿no le parece?

El Sr. Doakes lo miró un largo rato antes de decir:

—Bastante bien no es perfecto. De modo que no es lo suficiente si *no es perfecto*. ¡Háganlo otra vez!

El Sr. Doakes reconocía que tenía un marcado talento musical y me estimulaba con frecuencia. Sin embargo, a pesar de todo el estímulo y la exigencia de perfección, no me permitía ni a mí ni a los otros alumnos dedicar demasiado tiempo a la práctica, para que no descuidáramos nuestro trabajo académico.[1]

Justo antes de que nos correspondiera participar de la marcha por el día de los caídos, me encontré en un verdadero atolladero. Me había comprometido en un proyecto de ciencia que demandaba mucho de mi tiempo, y no estaba seguro si debía mantenerme con el proyecto o dedicar mi tiempo a practicar para la competencia de la banda de música. No recuerdo si se lo dije al Sr. Doakes o lo supuso, pero me llamó a un lado y me dijo: «Ben, por hoy has practicado lo suficiente. Ve a trabajar con tus otras materias».

Así de sorprendente hizo otras cosas que me asombraron aún más. En Michigan hay un programa especial de música durante el verano para estudiantes talentosos. Para participar de este programa, los estudiantes dotados antes de competir deben tener la recomendación de su maestro de la banda de música, una puntuación bastante más alta que el promedio y ser destacados con un instrumento. Si resultan seleccionados, pueden asistir al prestigioso campamento de verano *Interlochen Music Camp*.[2] Después de una exigente instrucción, estos músicos dotados viajan por el país y tocan bajo la batuta de famosos directores.

No vale la pena mencionar que esto significa un mérito para el maestro de la banda cuyos estudiantes son aceptados

---

[1] Lemuel Doakes no sólo nos estimuló a mí y a otros estudiantes a continuar nuestra educación, sino que él mismo prosiguió con su trabajo docente hasta que obtuvo el doctorado.

[2] Cuando Candy, mi esposa, estaba en la escuela media, recibió una beca de verano para estudiar violín en el *Interlochen*.

en el programa. Cuando estaba en el onceno grado, el Sr. Doakes habló a toda la banda sobre las becas Interlochen, lo importantes que eran y el entrenamiento valioso que recibían los estudiantes. Después de explicar las condiciones para ser elegidos, señaló: «Y aquí, en la escuela de Southwestern, hay cuatro de ustedes que podrían ser elegidos. Ellos son...»

Al llamarnos a cada uno, por el nombre, lo hizo poniendo un emotivo énfasis al momento y pidiendo los aplausos para los nombrados.

Me sentía en realidad orgulloso de que el Sr. Doakes pensara que era lo suficientemente bueno como para entrar dentro de los cuatro candidatos. Me encontraba ansioso por hacer la prueba.

Cuando terminó la clase de música le pedí más información acerca de la beca. Todo lo que decía lograba que mi entusiasmo por competir fuera en aumento.

—¿Y usted cree que soy realmente capaz?... ¿que podría ganar?

—Sí, Ben —dijo—. Pienso que eres capaz. No tengo ninguna duda acerca de ello.

—¿Entonces me recomendará?

Movió lentamente la cabeza a la vez que decía:

—No puedo. No sería justo.

—Pero usted dijo que...

—Ben, estás logrando buenos resultados en tu trabajo académico. Me he enterado que te encuentras a la cabeza de tu clase en todas las materias. Me has dicho que te gustaría ser médico. Eso es lo que quieres, ¿verdad?

—Claro que sí...

—Entonces esta beca no sería lo adecuado para ti —recalcó—. Tienes que elegir entre una u otra cosa.

Lo miré casi sin poder creer sus palabras.

—Mire, Sr. Doakes, permítame probar. Tal vez puedo hacer ambas cosas, ya sabe, trabajando fuerte con mis materias académicas y esforzándome con la música.

—No, Ben. El *Interlochen* tiene un programa exigente en extremo. Te absorberá todo tu tiempo y energías. Tendrás que elegir una carrera. Creo que la tuya se encuentra obviamente en el campo de la ciencia o de la medicina y que en realidad debes luchar por eso en lugar de concentrarte en una beca de música —me dijo con mucha sabiduría.

—Gracias, Sr. Doakes. Estoy seguro que tiene razón —respondí tratando de no dejar ver la desilusión en mi rostro.

Había ansiado esa beca. Sin embargo, al alejarme de él tuve que admitir que tenía razón. De todas maneras, en algún punto del camino tendría que elegir. Él me ayudó a hacerlo.

Unos segundos después, la sensación de desilusión dio lugar a una sincera felicidad. *En realidad, el maestro se preocupa por mí. Se interesa por lo que pueda ocurrirme.*

Siendo un poco inocente y teniendo sólo dieciséis años creo que no me daba cuenta de lo desinteresado que había sido mi maestro. Salvo por mi madre, nadie que conociera se había mostrado más interesado en mí que en su propio progreso. Su desinterés me hizo respetarlo como un hombre de gran corazón.

Hasta hoy me siento agradecido de que el Sr. Doakes me haya dicho que no.

* * *

No tuve consejeros en la Universidad de Yale, de modo que, en sentido general, me las arreglé por mi cuenta. Donde habían casi diez mil estudiantes, no me resultaba fácil mantenerme en el nivel, en especial, porque habían muchos estudiantes más inteligentes y calificados académicamente.

Pero sí apareció otro mentor, en este caso por medio de la iglesia. Durante mis estudios en Yale, en particular mi primer año, la iglesia proveyó la fuerza estabilizadora que necesitaba. Todas las semanas asistía a la Iglesia Adventista del Séptimo Día «Monte de Sion». Era la primera vez que vivía fuera de casa y encontré una familia de hermanos solícitos en la comunidad de cristianos. También fue de gran importancia para mí que casi todos los sábados, a la salida de la iglesia, alguna familia nos invitaba, a Larry, mi compañero de cuarto, y a mí, a cenar a su casa. Eso me daba una verdadera sensación de tener una familia lejos de mi hogar.

Me incorporé al coro que practicaba todos los viernes por la noche. Como la mayoría de los estudiantes abandonaban sus cuartos los fines de semana, la iglesia «Monte de Sion» me proporcionaba un lugar para ir los viernes por la noche y los sábados. Pero era más que un lugar, pues los ensayos del coro eran verdaderamente entretenidos. Nunca había experimentado tanto compañerismo y tanta camaradería. Intercambiábamos bromas, estimulándonos unos a otros con nuestra música, mientras imitábamos cantantes populares. De cuando en cuando alguno pretendía que era Caruso u otro nos hacía reír cantando en falsete. Además de divertirnos, trabajábamos mucho, porque Aubrey Tompkins, el director del coro, amaba la buena música. Constantemente nos estimulaba a que aprendiéramos las difíciles pero grandiosas piezas musicales para coro que a él le gustaban. Aceptaba personas con poca o ninguna formación musical y al trabajar con ellas, terminaban no solamente apreciando la buena música, sino que también aprendían a cantarla.

Aubrey Tompkins llenó un importante hueco en mi vida como figura paterna, consejero, maestro de valores espirituales en la escuela sabática. Lo que es más importante, se interesaba en verdad por mí. Como ni mi compañero de cuarto ni yo teníamos un automóvil, dependíamos de Aubrey para que nos recogiera para el ensayo del coro y nos llevara a casa a la salida.

A veces una dulce dama de edad, Lavina Harris (aunque todo el mundo la conocía como hermana Harris), se quedaba y tocaba el piano para nosotros. Era una persona adorable, y al escucharla me divertía y lo disfrutaba. Aun cuando estuviera interpretando una pieza clásica, se las ingeniaba para darle un tinte de jazz a lo que tocaba.

No recuerdo haber ido directo a casa ni una sola vez. Con frecuencia íbamos a la casa de Aubrey para escuchar sus últimos discos mientras nos servía helados y dulces. Otros viernes por la noche, después que los demás partían, Aubrey se sentaba al piano o al órgano y tocaba para Larry y para mí. A menudo lo acompañábamos cantando. Nada era planificado, ni salía de lo normal, pero la simple sensación de que se interesaba por nosotros lo suficiente, como para dedicarnos un poco de tiempo extra, hacía una gran diferencia.

Incluyo a Aubrey Tompkins como consejero por su interés en mí y su disposición para escuchar cuando necesitaba hablar con alguien. Aunque amaba la música y estaba dedicado a ella, lograba que comprendiera que para él las personas eran más importantes todavía.

* * *

Estos primeros educadores de mi vida: cuatro hombres, todos maestros, encaminaron la dirección de mi vida. Como dije al comienzo de este capítulo, nadie se realiza por sí solo. Quien soy y lo que soy en la actualidad implica un poco del Sr. Jaeck, el Sr. McCotter, el Sr. Doakes y el Sr. Tompkins. Las personas que Dios puso en mi camino, las que dieron lo mejor de sí, para que pudiera aprender a dar lo mejor de mí.

CUATRO

Mentores médicos

La mente no es una vasija que se deba llenar sino un fuego que se debe alimentar.

Plutarco

Muchos maestros me desafiaron a dar lo mejor de mí.

Tal vez no es muy apropiado referirse como consejeros a quienes que, con mucha probabilidad, no tengan la menor idea de cuán profundamente afectaron la dirección de mi vida. Sin embargo, esa es la expresión más clara que puedo ofrecer en relación a aquellos benefactores que influyeron en mi carrera médica. Algunos lo hicieron en forma instintiva, pero fueron personas que con toda sencillez dieron lo mejor de sí mismas. Sus ejemplos junto con sus palabras y a veces sin ellas, me estimularon.

En primer lugar y, tal vez no técnicamente lo que llamaría un mentor, está el Dr. James Taren, neurocirujano y uno de los decanos de la escuela de medicina de la Universidad de Michigan. Sus explicaciones elocuentes en las presentaciones de clínica médica acerca de los pacientes y los procesos de enfermedades neurológicas, me inspiraban admiración. Al escuchar sus presentaciones me enamoré de lo que pueden hacer los neurocirujanos. Más aún, sus mensajes comenzaron a despertar mi conciencia respecto a lo que podría hacer.

El Dr. Taren tenía entonces unos cuarenta años, medía alrededor de un metro setenta y el cabello castaño rojizo. Vestía elegantemente a la última moda y conducía un Jaguar. La mejor palabra que se me ocurre para describir su persona es la de «llamativo».

En una oportunidad, durante una presentación de clínica médica, nos dio como ejemplo el de una mujer que tenía un desorden progresivo de la motricidad que la había dejado inválida. Como continuaba deteriorándose, el Dr. Taren decidió realizar un entonces peligroso y controvertido procedimiento estereotáctico, que involucra un tipo especial de instrumental que parece algo salido de una película de Frankenstein. Sin embargo, permite al cirujano trabajar con precisión en lesiones destructivas y en ciertas partes del cerebro, sin dañar demasiado el tejido adyacente.

Después de la clase alguien dijo:

—Pero era muy peligroso, ¿verdad? La paciente podría haber muerto.

—Claro, es un procedimiento peligroso —respondió—, pero piensen en qué alternativa tendríamos *si no hacemos algo*.

Aquellas palabras se aferraron a mí con fuerza. Aunque en ese momento no tenía idea de su impacto, las iba a recordar muchas veces al enfrentar momentos difíciles. Cuando comencé a hacer hemiferectomías, más de un padre tuvo que encarar el hecho de que su hijo podría morir, si practicaba una operación de ese tipo. En la mayoría de los casos recuerdo haberme hecho eco de las palabras del Sr. Taren: «Pero piensen en qué alternativa tendríamos si no hacemos algo». En todos los casos, los padres estuvieron de acuerdo. Si no intentábamos un procedimiento radical, sus hijos morirían de todas maneras.

*   *   *

Aunque desde los ocho años estaba seguro que quería ser médico, no sabía en qué área especializarme. En determinados momentos había pensado en la siquiatría y en muchas oportunidades en otras cosas, incluyendo el de médico general. Sin embargo, cuando estuve bajo la influencia del Dr. Taren, el asunto quedó definido.

Él nunca me presionó a ser neurocirujano, pero su manera de trabajar y sus clases me inspiraron. Durante los dos últimos años en la escuela médica fue mi tutor.

No es que me sintiera muy familiarizado con él. En realidad, le tenía tanto respeto que me sentía privilegiado de que supiera mi nombre. Sabía de mí, como todos en el área de neurocirugía, porque había completado dos rotaciones en la misma (es poco frecuente que ocurra eso) y había obtenido honores en ambas oportunidades.

Como pasaba largas horas leyendo acerca de ese campo hacía preguntas, tenía un amplio conocimiento en neurocirugía y me mantenía tratando de aprender cuanto podía. Taren y otros parecían estar impresionados por mí.

En muchas oportunidades sus palabras: «Buen trabajo» o «¡Estuviste muy bien!», me dieron el estímulo que estaba necesitando.

Nombro a James Taren como mentor, aunque dudo que sospeche el alto concepto que tengo de él. Para mí representaba el ideal de neurocirujano en jefe, la persona que sabe prácticamente todo acerca de la neuroanatomía. Sin embargo, por la forma en que realizaba su trabajo, no parecía que estuviera intentando impresionar a nadie. Él era así de sencillo.

Si Taren no hubiera elegido ser neurocirujano, igual hubiera sido el tipo de hombre al que todos aspiran ser. Aunque siempre he sido ultraconservador, todavía admiro a este hombre de bríos, eficiente y muy capaz.

Algunas personas inspiran confianza con facilidad. Taren es una de ellas. Percibía, al estar cerca de él, que daba todo de sí en lo que hacía. Sus modales y su actitud ponían en claro que esperaba que sus alumnos hicieran lo mismo. Bastaba con estar en su presencia, en sus clases en la sala de operaciones, para que quisiera dar lo mejor de mí. Es por eso que admiraba tanto al Dr. Taren. Y todavía lo hago.

En orden cronológico la persona que sigue es George Udvarhelyi. Cuando nos conocimos era jefe del programa de entrenamiento en neurocirugía del Johns Hopkins. En la actualidad está retirado como profesor de neurocirugía, pero sigue como director de asuntos culturales del centro médico. George Udvarhelyi me entrevistó en relación a mi internado en el Johns Hopkins y es uno de los que me ayudaron, al recomendarme, para integrar el programa. (Más tarde supe que se seleccionaban solamente dos estudiantes de un promedio de ciento veinticinco aspirantes.)

Desde mi punto de vista, George y yo comenzamos nuestra relación especial en el momento que entré en su oficina del Johns Hopkins. De inmediato me hizo sentir cómodo, tal vez ayudado por la decoración de buen gusto de su oficina, por la atmósfera acogedora que delataba a un hombre que quería, con toda sinceridad, escuchar lo que tenía para decir. Desde aquel día y hasta hoy, lo que distingue a George es que está tan interesado en la persona como en su enfermedad.

Durante mi internado, cuando hacíamos las rondas, George esperaba a que nos agrupáramos a su alrededor antes de preguntar en su suave acento húngaro: «¿Qué saben del paciente?»

Las primeras veces que hizo la pregunta, ninguno de nosotros la entendía del todo, pero comenzábamos dándole el diagnóstico.

«No, no, eso no», interrumpía. No nos estaba preguntando acerca de la enfermedad. «¿A qué se dedica este hombre? ¿Cómo se gana la vida?»

Aquellas preguntas me dejaron una impresión duradera. El hombre que está en la cama no sólo es un «paciente» sino un ser humano que tiene un nombre y una vida fuera del hospital.

Este destacado doctor constantemente enfatizaba el aspecto humanitario del cuidado médico. Quería asegurarse de que los pacientes se encontraran lo más cómodo posible y que supieran lo que estaba ocurriendo. Deseaba que tuvieran parte en el proceso de toma de decisiones.

En varias ocasiones mientras estaba hablando con los residentes, alguno de ellos decía:

—Es hora de que me vaya —queriendo significar que ya había completado las horas que le correspondían.

—¿Qué quiere decir con eso de que es tiempo de que se vaya? —respondía George con voz airada—. ¿Qué quiere decir con eso de que se va? El paciente tiene un problema. Nadie se va. Tienen que cuidarlo. Esto es lo más importante.

¿Qué podíamos responder a eso? George creía con exactitud lo que había dicho y no quería que nosotros lo olvidáramos. Allí mismo se lanzaba a dar una clase, vez tras vez, recordándonos que estábamos allí para los pacientes y que no era cuestión de querer acomodar sus tratamientos a nuestros programas.

—Están aquí para servir a los enfermos. ¡No lo olviden jamás!

En una oportunidad George emprendió una larga andanada en particular. El blanco de su sermón era un residente que había cumplido su horario y era obvio que estaba cansado en extremo. El aludido cruzó los brazos y asintió algunas veces mientras el profesor seguía hablando. Al final, se llevó la tablilla en que anotaba al pecho y luego la dejó caer. La tablilla se estrelló contra el piso.

—Abandono —dijo. Y se marchó. (Más tarde volvió.)

Por mucho que admiraba a George Udvarhelyi sabía que exasperaba a algunos residentes porque era exigente y no aceptaba nada que no fuera, en lo absoluto, lo mejor. Para mí eso era parte de aquello que lo hacía admirable: Se negaba a permitirnos actuar de manera descuidada en todos los aspectos de la atención del paciente.

Una cosa que George Udvarhelyi dejó grabado en mí y que no quiero olvidar jamás es que cuando me comprometo a ser el médico de un paciente, estoy poniendo en juego el compromiso de *todo mi ser*. No puedo ser su médico sólo cuando me conviene. Más bien debo hacer un silencioso voto de estar listo para mis pacientes cuando ellos lo requieran.

—De lo contrario vayan a trabajar como patólogos —solía decir—. Hagan algo que no tenga que ver con seres vivos.

Pensaba entonces, y lo sigo pensando, que tiene toda la razón.

Cuando hacíamos las rondas, George Udvarhelyi introducía con frecuencia un aspecto filosófico. De manera repentina, en medio de un examen del paciente, hacía una pausa como si se le acabara de ocurrir.

—¿Qué dijo Aristóteles acerca de una situación como esta?

La mayoría de las veces los residentes nos mirábamos los pies unos a otros.

—Bueno, piénsenlo alguna vez.

Decía unas palabras más y continuaba guiándonos. Finalmente, alguno de nosotros atinaba a hacer la relación. Si no lo hacíamos, él terminaba diciéndolo aunque la cosa no paraba allí. Sus ojos estudiaban nuestros rostros y luego preguntaba.

—Bueno, ¿y ahora qué pasa? ¿Están de acuerdo con Aristóteles? —Y esperaba que le diéramos una respuesta.

Era obvio que George quería que cada uno de nosotros pensara profundamente acerca de cada persona que estaba a nuestro cuidado. Para él, un buen cuidado médico era solamente parte de nuestra tarea. Más que cualquier otro médico que haya conocido, George Udvarhelyi nos instaba a no tratar a los pacientes como si no fueran otra cosa que un tipo de enfermedad o impedimento.

En una ocasión, en la que estábamos discutiendo sobre tipos de ataques y sus tratamientos, dijo: «Bueno, ¿quién fue el primero en hacer cirugía para los ataques de epilepsia? ¿Cómo rastreó las zonas del cerebro?»

La respuesta: Walter Penfield, un famoso neurocirujano.

«Ahora, ¿cómo describió el cerebro Walter Penfield? ¿Qué pensaba del mismo? ¿Creía que las personas tienen alma?»

Cuando alguno de nosotros respondía «sí», asentía y después preguntaba: «Pero, ¿*cómo* llegó Penfield a pensar que hay un alma?»

Guiaba nuestra discusión durante otros diez minutos. Al final, me sentía muy enriquecido porque convertía todo en una lección con detalles históricos y filosóficos. Nadie más hablaba de esa forma. Quería que supiéramos cómo entendían la enfermedad los grandes cirujanos y pensadores del pasado. Cómo el estado de la medicina se ha desarrollado a lo largo de los siglos y de forma particular en los últimos cien años.

Desde mi punto de vista, el método de enseñanza de George Udvarhelyi lo convirtió en alguien sumamente valioso para mi formación. Sin embargo, no todos los estudiantes respondían de la misma manera.

—Es una verdadera desgracia —me dijo uno de los residentes. Era la primera vez que escuchaba una afirmación negativa.

—¿Te parece? —pregunté—, lo encuentro fascinante.

—Siempre lo mismo, siempre lo mismo —afirmó—. Otra vez tenemos que soportar toda esa historia.

—No vine aquí para tolerar otra clase teórica —opinó otro residente—. Para eso están las aulas... quiero seguir con lo nuestro.

Sus opiniones no me afectaban. Era un maestro
y un amigo y consejero especial que continúa siéndolo hoy
en día.

*   *   *

No puedo dejar a un lado a James Anderson, doctor en
radiología médica investigativa, la persona que más contri-
buyó a que tuviera una experiencia satisfactoria en el laboratorio. De Jim Anderson aprendí las técnicas de laboratorio.
Aunque había presentado una solicitud para una pequeña
beca que más tarde recibí, me dio libre acceso a su laboratorio, la ayuda de su secretaria y la disposición de sus técnicos
para el desarrollo de un modelo de tumor cerebral en animales. Asimismo en el montaje de distintos métodos para hacer
imágenes y la enseñanza de las técnicas.

Siempre dispuesto a ayudar, Jim Anderson me ponía en
contacto con la gente apropiada para cualquier cosa que
necesitaba. Apreciaba el hecho de que quisiera asegurarse de
que en realidad fuera yo quien estuviera haciendo la investigación. Podría haberse involucrado para más tarde obtener
el crédito de mi trabajo. En hospitales de enseñanza, algunas
personas hubieran hecho precisamente eso. Jim Anderson
veía que mi investigación sería valiosa y me la podría haber
robado con facilidad.

En lugar de eso recuerdo escucharlo decir: «Ben, aquí sí
que tienes algo. Quiero que hables con John Hilton, porque
ha descubierto algunos métodos interesantes para disociar
tejidos y mantener su vitalidad». (Hacía referencia a conser-
var la vida de las células después de haberlas separado.)

En este caso particular habíamos estado tratando de
separar mecánicamente células tumorales, pero no teníamos
éxito.

«Luego me gustaría que hables con Mike Colvan y Skip
Grossman», dijo. «Aprovecha lo que ellos saben y aprende,
sin atascarte, a investigar un grupo grande de aspectos».

El conocimiento básico que me inspiró Jim Anderson fue
cómo hacer las cosas en forma efectiva y eficiente. Cuando
comencé la investigación en el laboratorio era normal la
espera de pasar dos años trabajando en el proyecto elegido.

Gracias al estímulo y la asistencia de Jim, su equipo y sus colegas, completé el proyecto en seis meses. Es evidente que este es un logro imposible si Jim no hubiera estado allí para guiarme e indicarme el camino. Él sabía con exactitud lo que convenía hacer.

Un beneficio extra de mi experiencia con Jim Anderson fue que, sin saberlo, me ayudó a tomar una decisión. Durante meses me había preguntado, había orado, discutido y pensado acerca de si entrar a la práctica privada o mantenerme en la medicina académica. La disposición y la ayuda de Jim para poner a mi alcance tal abundancia de recursos, me ayudaron a descubrir el valor de quedarme en un establecimiento como el Johns Hopkins, un hospital para la enseñanza, donde podría estar al tanto de los últimos avances en mi campo. Al quedarme allí podría acudir a otros por ayuda y ser parte de un equipo en lugar de tener que aprenderlo todo por uno mismo.

Disfrutaba explorando, ensayando nuevas técnicas y teniendo una participación directa en la investigación. También descubrí que quería comprometerme en la enseñanza y ayudar a encaminar el curso futuro de la medicina, al explicar los resultados de mi propio trabajo investigativo.

Durante los seis meses en que veía constantemente a Jim Anderson, no recuerdo haber comentado jamás con él la cuestión de mi futuro. Pero tal vez es así la forma en que obran los benefactores y los mentores. A veces es el modo en que hacen su propio trabajo, lo que influye con tanta profundidad en otros.

* * *

Cuando pienso en aquellos que me instaron a realizar lo mejor que podía al hacer ellos lo mejor y pensar magnánimamente, debo detenerme para mencionar a algunos médicos de Australia, en especial Bryant Stokes y Richard Vaughan.

Bryant Stokes era el cirujano en jefe en Perth al oeste de Australia y vino al Johns Hopkins en 1982, junto con otros prominentes neurocirujanos del mundo, para la inauguración del Centro de Neurociencias del hospital.

Me agradó de inmediato cuando lo conocí. Al verlo trabajar entendí que estaba al lado de un cirujano de capacidad excepcional. De entrada, Bryant y yo simpatizamos.

«Tienes que venir a Australia», me decía con frecuencia. «Podrías ser un becario y obtener un poco más de práctica». A menudo, con una leve sonrisa, agregaba: «Hasta podríamos enseñarte algunos trucos».

Aunque surgieron algunas dificultades parecía adecuado solicitar una beca para estudiar por un año en Australia, en el Hospital Sir Charles Gardiner del Centro Médico Queen Elizabeth II. Para junio de 1983 había terminado mi residencia. Candy y yo estábamos esperando nuestro primer hijo. (Murray nació en ese país de «allá abajo».) Hice la solicitud y fui admitido en este excelente centro de enseñanza, que además es el único centro de neurocirugía del oeste de Australia.

En algunos aspectos, Bryant Stokes me recordaba a James Taren, por lo similares que eran en la rimbombancia y en sus habilidades. Tenía alrededor de un metro setenta de estatura, de complexión delgada, cabello oscuro, por entonces estaba al final de los cuarenta. Cuando la gente lo ve por primera vez, por lo general sólo advierte a un hombre severo, serio. Sin embargo, cuando pude conocerlo mejor en Baltimore, descubrí que tiene un sentido del humor muy agradable y jocoso. Aquellos a quienes les permite ver su lado blando encuentran a una persona muy simpática.

La mayoría de la gente estimulaba la otra cara de Bryant, la del perfeccionista exigente. Su absoluta insistencia en la excelencia y en la puntualidad, combinada con su voluntad de no quedarse con nada menos que eso, me inspiraron un alto respeto por él.

Por ejemplo, cuando un residente debía presentarse a las siete de la mañana, Bryant no esperaba a tal persona después de esa hora. «No tenemos tiempo para excusas», solía decir.

Cuando no hacíamos las cosas *exactamente* como las quería, nos lo hacía saber. Viniendo de algunas otras personas, esa actitud podría haber sido difícil, tal vez imposible de aguantar. Pero él mismo sentaba el ejemplo al ser tan competente y técnicamente capaz, que yo, por lo menos, aceptaba con gusto sus críticas. Aunque procuraba hacer todo a la perfección sabía que, como este hombre no aceptaba otra cosa que lo mejor de sí mismo, no admitiría menos de aquellos que estaban bajo su autoridad.

Poco después de iniciar mi perfeccionamiento, Bryant me enseñó a extirpar en dos horas y media un tipo de aneurisma muy complicado, el de arteria comunicante anterior. (Estaba acostumbrado a demorarme seis horas para esa misma operación.) No sólo había llegado a dominar esa habilidad, sino que también tenía la capacidad para enseñar a otros a hacerlo de la misma manera.

Pude observar que este hombre conoce la anatomía de la base del cráneo tan bien que puede decir, con un aire prácticamente casual: «Voy a poner mucha presión sobre este lóbulo. Después ustedes busquen la membrana y corten. Recuerden, no la estiren porque la pueden romper».

Es competente y exigente. Trabajar a su lado, en el Hospital Gardiner, resultó ser un entrenamiento muy valioso para mis habilidades como neurocirujano.

—¿Sabes?, en realidad le caes bien al viejo —me dijo un día otro becario.

—Me ha enseñado mucho —repliqué no muy seguro de lo que había querido significar—. Lo admiro tremendamente.

—Mucho más que enseñarte. ¿No te das cuenta de que te ha dado oportunidades especiales?

Cuando mi expresión perpleja le dio a entender que no lo sabía, dijo:

—Bueno, te permite hacer operaciones a las que no dejaría ni acercarse a los otros.

—¿Seguro?

—Es muy posesivo con sus pacientes. Eres el primer becario, que yo sepa, al que el viejo le permite picar.

Con toda honestidad, no lo sabía. De lo que sí me había percatado era que, a los tres meses de haber llegado a Australia, estaba haciendo hasta tres craneoctomías por día (que consisten en abrir la cabeza del paciente para extraer coágulos de sangre y tumores y reparar aneurismas), una cantidad que jamás hubiera encontrado en ningún hospital de Norteamérica.

* * *

La otra persona significativa de Australia es Richard Vaughan. Un colega más del hospital Sir Charles Gardiner. Es la persona más agradable y considerada que he conocido, siempre está procurando no causar problemas ni perturbar a nadie. No lo escuché gritar ni levantar la voz ni una sola vez.

En muchos aspectos Richard Vaughan era la antítesis de Bryant Stokes. En el físico eran todo un contraste. Por entonces, al comienzo de sus cincuenta, Richard casi pasaba el metro ochenta, de complexión media, calvo y con escasos cabellos castaños a los costados de un rostro de aspecto jovial. Tenía el acento australiano más fuerte que he conocido.

Entre las muchas cualidades que admiraba en Richard Vaughan estaba su disposición para encarar los casos complicados en extremo, que la mayoría consideraba prácticamente sin esperanzas. Sin hacer ningún alarde trataba los casos graves como lo hacía con los demás. De alguna manera sus pacientes siempre parecían salir adelante.

«Vauhgan es el tipo más afortunado», solían decir otros miembros del equipo, en especial aquellos que carecían de su competencia o su coraje. «Tiene mucha suerte, no me explico cómo se las arregla para sacar a flote a esa gente».

Durante los meses que trabajé al lado de Richard Vauhgan, no llegué a la conclusión de que tenía suerte, sino que desplegaba un don innato. Con frecuencia pensaba en él como alguien que tiene un sentido puesto por Dios para saber qué hacer y qué no hacer. Algunos cirujanos tienen esta capacidad notable. Más bien *saben* o *tienen* un conocimiento intuitivo. No pueden explicar el porqué hacen una cosa específica. Simplemente inician un determinado procedimiento porque *saben* cuál es el camino correcto para ese caso en particular. Vauhgan tal vez no podría haber explicado sus procedimientos de manera tan elocuente como Stokes, pero producía resultados similares.

Ambos me permitieron hacer muchas operaciones, para mí era algo inapreciable. En el año que estuve en el hospital Sir Charles Gardiner estimo que recibí el equivalente de una experiencia de cinco años en un hospital de Norteamérica. Siempre he estado agradecido por la oportunidad de aprender más y de pulir mis aptitudes.

No quiero pasar por alto a Wayne Thomas y a Michael Lee, a quienes conocí también en Australia.

En especial estoy endeudado con Michael por haberme enseñado las técnicas para el acercamiento al lóbulo temporal. De Wayne Thomas, un compañero joven que había estado practicando por unos pocos años cuando llegué, aprendí mucho sobre la localización exacta de los ventrículos. Sin poder ver el lugar preciso podía hacer entrar las agujas sin esfuerzo y en forma perfecta. Con mucha generosidad me enseñó esa habilidad.

Esta lista de mis consejeros médicos, me lleva de nuevo al Hopkins y al hombre que ha sido un verdadero maestro para mí en todo el sentido de la palabra: Donlin Long.

Estuve como residente en el Johns Hopkins desde 1978 hasta 1983. Después de mi año en Australia regresé al Hopkins en el verano de 1984. Pocos meses después, el jefe de neurocirugía pediátrica se fue y mediante la recomendación de Don Long me convertí en el nuevo jefe de neurocirugía pediátrica.

Solamente con tener treinta y tres años, lo que en medicina es poca edad, podría haber sido motivo suficiente para que me rechazaran. Pero Don Long puso en claro que sabía que yo podría hacer el trabajo.

Podría escribir hasta el infinito acerca de la ayuda de Don Long a lo largo del período, pero voy a mencionar sólo unas pocas ocasiones.

En *Gifted Hands* [Manos dotadas] relaté en detalle cómo Don Long, consciente de los prejuicios que me aguardaban, dejó en claro y en forma irrevocable que si un paciente se negaba a ser tratado por mí, el Hospital Johns Hopkins no admitiría a tal paciente. No tenía tiempo ni simpatía para aquellos que veían el color como una barrera para ser competentes. Se sentía tan cómodo con su falta de prejuicio, que embromaba a Reggie Davis con lo de la discriminación racial. Reggie fue la segunda persona negra que completó el programa de neurocirugía en el Johns Hopkins. «Reggie, después del trabajo que Ben ha hecho aquí, no tienes ningún chance de entrar en el programa».

Luego se reía. Sólo un hombre libre de prejuicio podría haber hecho algo así.

Don no me ayudó por motivo de mi raza, sino que no me puso obstáculos a causa de la misma. Así es él. Su apoyo y su fuerte sentido de justicia me ayudaron a mantener la confianza en mí mismo.

Durante mis primeras semanas como interno en el Hopkins, cuando recién conocí a Don Long, descubrí un sencillo principio en base al que él opera. Si conocemos y entendemos la anatomía humana y somos razonablemente inteligentes, es de suponer que podamos encontrar la manera de hacer casi cualquier cosa.

Siempre recordaré algo que dijo el Dr. Long cuando lo conocí: «El que no puede aprender de los errores de otra persona, sencillamente no puede aprender. Eso es todo. Hay algo valioso en la forma equivocada de hacer las cosas. El conocimiento obtenido a partir de los errores contribuye a nuestra base de conocimiento».

También insistía en que: «Debes tener una explicación razonable para lo que estás haciendo en este momento». No importaba tanto lo que algún otro hubiera dicho a favor o en contra de cierto procedimiento. Si podíamos presentar una explicación razonable para lo que queríamos hacer, nos estimulaba a pensar que valía la pena hacerlo aun cuando algún otro lo aprobara o no, una postura muy valiente. Era como decir: «Aprendan todo lo que puedan, pero piensen por sí mismos».

A lo largo de los años me he visto comprometido con varios procedimientos heroicos y en consecuencia controvertidos. En cada caso he ido a Don y le he explicado lo que quería hacer y por qué. Ni una sola vez me ha aconsejado no seguir adelante.

Es probable que el caso más significativo (el cual detallo más adelante en el libro) fue el de una mujer que estaba embarazada de mellizos. Uno de ellos desarrolló hidrocefalia mientras todavía estaba en el vientre. Por ello propuse poner una válvula de derivación en el bebé afectado mientras estaba todavía en el vientre, una sugerencia muy controvertida. En efecto, ya que unas pocas semanas antes el *New England Journal of Medicine* había sacado un artículo en contra de ese procedimiento.

Le expliqué todo a Don quien sabía sobre el reciente artículo. Cuando terminé dijo: «Me parece muy razonable. Pienso que funcionará bien. Tienes mi bendición para hacerlo».

En realidad no tenía ninguna duda de su apoyo, porque sabía que mi explicación era razonable. Además, sabía que Don es un hombre siempre dispuesto a intentar algo nuevo aun cuando todos los demás insistan en que no se puede hacer.

Justo antes de que abandonara su oficina Don me dijo: «Ben, si hace falta hacer algo para protegerte legal o médicamente, lo haremos».

Nunca dudé de su palabra.

Don es una persona increíblemente ocupada. Es muy probable que sea miembro de media docena de importantes sociedades de neurocirugía, lo que consume mucho tiempo. Además, continúa llevando a cabo un pesado trabajo asistencial. Sin embargo, desde el comienzo siempre tuvo tiempo para mí. (No creo, ni por un momento, que sea sólo para mí. Es el tipo de hombre que le dedica tiempo a la *gente*.)

Mientras todavía estaba como residente, cada vez que entraba a su oficina le interrumpía en lo que estaba haciendo. Una conducta que jamás antes había observado y que me impresionó tremendamente.

«¿Qué tienes en mente?», preguntaba de una manera tan amistosa, que era como si dijera: «Ben, tengo todo el tiempo del mundo. ¿De qué quieres que hablemos?»

La mayoría de los jefes de departamento no son tan atentos como él. He conocido a algunos que ni siquiera se pueden describir como benévolos.

De Don obtuve un importante principio, una de aquellas lecciones que aprendí por la observación y no en alguna clase formal o informal:

> Sé amable con la gente
> —toda la gente—
> incluso cuando no necesites serlo.
> Todos son importantes.

«Don Long no necesita ser amable», le dije hace poco a un amigo, «y sin embargo lo es. Esto es natural para él». Por supuesto, la gente aprecia su calurosa acogida. Aun cuando se relaciona con el conocimiento técnico o habilidades quirúrgicas, nunca se muestra arrogante. Y él sí que tendría todas las razones para serlo.

El incidente con los mellizos Binder probablemente es la mejor caracterización de este hombre. En febrero de 1987, en Ulm, Alemania Occidental, Teresa Binder dio a luz a un par de mellizos. Eran siameses, unidos por la parte posterior de la cabeza, por lo que no podían aprender a moverse como otros niños. Sus padres tuvieron que aprender la forma de sostener a ambos niños a la vez. Como sus cabezas estaban opuestas, la señora Binder tenía que acomodarlos sobre un almohadón y sostener un biberón de leche en cada mano para alimentarlos.

Los mellizos no compartían ningún órgano vital, pero sí una sección del cráneo, tejidos dérmicos y la vena principal que devolvía fluidos del cerebro al corazón. Nadie había registrado un caso de separación exitosa de mellizos de este tipo, en el que ambos niños sobrevivieran.

Cuando los médicos alemanes contactaron con nosotros en el Hopkins, estudié la información disponible y hablé con varios colegas, en particular Mark Rogers, Craig Dufresne, David Nichols y muy en especial Donlin Long, el jefe de neurocirugía. Si el procedimiento se llevaba a cabo, implicaría a más de un médico. Tentativamente estuve de acuerdo con hacer la cirugía sabiendo que sería riesgosa y exigente. En definitiva, mi decisión se basaba en la fuerte posibilidad de que podíamos realizarla. Si resultaba exitosa, esta separación quirúrgica daría a ambos niños la posibilidad de vivir una vida normal.

Don podría haber hecho una serie de comentarios cuando le presenté el caso. Como jefe del departamento tenía el derecho de tomarlo como suyo. (¡Esto ocurre en muchos lugares!) *Podría* haber dicho, y hubiera estado en todo su derecho hacerlo: «A causa de lo riesgoso de la situación me corresponde encargarme de este caso y tú serás mi asistente». Por lo tanto, de esta manera hubiera recibido toda la publicidad y el reconocimiento. Lo pudo haber hecho, pero, entonces, dejaría de ser Donlin Long.

Mientras que algunas personas de primer nivel con las que he tenido que tratar me hacen sentir que me escuchan a la espera de que termine para poder ellos decir lo suyo, Don no es así. Tiene una manera de escuchar que hace que el que habla tenga la sensación de que está atento a cada palabra. Así es como escuchó mi explicación. Cuando terminé, Don sonrió: «Este es tu caso, Ben. Determina cómo quieres hacerlo y yo te asistiré». Esto es propio de su carácter.

El jefe del departamento se ofreció a ser mi asistente en la operación.

*   *   *

He tratado de enumerar los mentores, las personas que influyeron, lo mismo que el mensaje que me dieron: «Da lo mejor de ti, Ben Carson. Procura que nunca des menos de lo mejor para ti mismo y los demás».

Estas personas especiales son tan importantes para mí, como lo es el mensaje que me legaron.

CINCO

Otras personas significativas

Cargar todo el peso del saber como si fuera una flor.
Tennyson

—*Por supuesto que estoy interesado* —dije, tan sorprendido como halagado, cuando se me preguntó— pero no he tenido suficiente experiencia en ese campo.

—Don me dice que tienes la habilidad necesaria para hacer cirugía en la base anterior del cráneo —dijo Mike Johns—. No te preocupes. Te encaminaré con la primera. —Luego me extendió los artículos que había escrito sobre el tema—. Asimílalos.

Cuando regresé al Hopkins en 1984 y me incorporé a la facultad tras un año en Australia, Mike Johns era profesor y jefe del departamento de otolaringología (cirugía de la cabeza y el cuello). Mide alrededor de un metro ochenta, tiene el cabello oscuro, complexión media y rostro agradable y jovial.

Lo conocí muy pronto después de venir al Hopkins, porque estaba interesado en formar un neurocirujano que pudiera especializarse en la base anterior del cráneo. En la universidad de Virginia, de donde había venido, Mike había realizado una cantidad significativa de investigaciones innovadoras en ese campo. Por ejemplo, había ayudado a desarrollar una laringe artificial, que ahora está ampliamente difundida. Desarrolló nuevas técnicas para la cirugía de la base anterior del cráneo.

Siendo así que el Hopkins no tenía a otro que a Don Long (que hace todo y se especializa en la cirugía de la base del cráneo), Mike decidió que yo sería un buen candidato.

A veces pienso en Mike como en un bulldog. Cuando se prende a una idea, no la suelta hasta concretarla. También completa su trabajo bastante rápido, una de las cualidades por las que llegó a ser jefe de la Escuela de Medicina del Hopkins mientras estaba todavía en sus cuarenta, un logro increíble porque es prácticamente inaudito que un cirujano llegue a ser jefe de una prestigiosa escuela de medicina. (Tradicionalmente los jefes se seleccionan de entre los médicos generales o siquiatras y los médicos que no son cirujanos por lo general superan en número a los cirujanos en los grandes centros médicos.)

En un período de vida relativamente corto, Mike Johns ya ha dejado tras de sí una larga lista de realizaciones. En efecto, es una de aquellas personas a quien me gustaría imitar.

Unos días después de nuestra primera conversación, comencé a ir a observar sus cirugías de la base del cráneo. *Es bueno, en realidad bueno*, recuerdo haber pensado al observar sus ágiles movimientos. No pasó mucho tiempo antes de que adoptara sus técnicas y me sintiera cómodo usando sus métodos. Después de eso comencé a hacer la cirugía de la base anterior del cráneo para todos los otorrinolaringólogos. En otro par de años, pasó a formar una parte importante de mi especialidad.

Mike era profesor y jefe mientras yo era un humilde miembro joven de la facultad. Sin embargo, desde el momento en que nos conocimos me ha tratado como a un igual, insistiendo, por ejemplo, en que se me dé igual espacio y reconocimiento cuando trabajábamos como coautores en un artículo. Admiro esa característica generosa.

Poco tiempo después supe que él también se había criado en Detroit, descendiente de una familia de inmigrantes del Líbano. Mike se crió en circunstancias pobres, asistió a la universidad por cuenta propia y se abrió camino en la escuela de medicina en la Universidad de Michigan, tal como yo lo había hecho unos años más tarde. Por sobre todas las cosas, es un individuo altamente innovador.

Para quienes conocen a Mike, su rápido ascenso en las filas académicas no es muy sorprendente. Después de todo, siempre piensa en grande, siempre da lo mejor de sí y de continuo está tratando de encontrar la manera de hacer mejor un trabajo.

*   *   *

Otra persona que me impresionó desde la época en que era interno o residente, es Mark Rogers, el jefe de anestesiología. Cuando recién llegué al Hopkins, era profesor asistente, a cargo de la unidad de terapia intensiva de pediatría.

Una cosa muy clara acerca de Mark es que conoce todo en relación a su campo. Incluso siendo profesor asistente, nos acompañaba en los pases de sala con los profesores (el único a quien conozco que lo hace), porque quería aprovechar cada oportunidad para ayudarnos a aprender. Cuando hacíamos alguna pregunta, Mark, con toda buena voluntad, entraba en detalles para asegurarse que entendiéramos.

Además de conocer la historia y toda la información de lo que se ha hecho en el pasado, está de igual modo informado sobre la literatura actual. Mark es también prolífico en extremo. En su campo, puede escribir prácticamente de todo acerca de cualquier cosa.

Para la época en que entraba a los cuarenta, recibió el nombramiento para la jefatura de un departamento muy grande. Cuando se trata de organizar y hacer que las cosas se hagan, no conozco a nadie mejor que Mark.

Mark Rogers ha sido uno de los iniciadores y principales defensores del programa Hopkins-Dunbar. La Escuela Superior Dunbar, ubicada al lado de la Institución Médica Johns Hopkins, tiene un programa para estimular a los estudiantes secundarios prometedores. La idea es exponerlos a actividades clínicas, administrativas e investigativas en el Johns Hopkins mientras están en la escuela secundaria. Esto atrapa su interés y eventualmente conduce a muchos de ellos a comprometerse en carreras médicas.

Mark ha consagrado no sólo buena parte de su tiempo y energías, sino también de sus recursos financieros a la concreción de este programa. Al hacer esto no obtenía ningún provecho material, y era evidente que lo hacía por la generosidad de su corazón.

*   *   *

Aunque la gente me reconoce como el cirujano que operó a los mellizos Binder, Mark Rogers hizo mucho del trabajo organizativo detrás de la escena para la operación. Él organizó el viaje a Alemania para otros tres facultativos, para él mismo y para mí, a fin de que pudiéramos estudiar la situación, el paso final que teníamos que tomar antes de decidir si aceptábamos comprometernos.

Mark organizó el transporte de los mellizos desde Alemania a Estados Unidos y el regreso, para que todo saliera bien. Con su mente precisa y analítica, Mark orquestó cada paso de las muchas sesiones de práctica para el personal que estaría involucrado en la operación. Dispuso lo necesario para la comodidad del equipo que operaría, incluyendo la disposición de comida y lugares de descanso durante las veintidós horas que duró el suplicio.

Además, Mark fue el vocero público, que manejó muchas de las preguntas que rodearon a la organización de esta hazaña. Flor de persona.

Todo un ejemplo de lo que significa dar lo mejor de sí.

* * *

En tres ocasiones de mi vida me he sentido muy dolido por la muerte de alguien. La primera pérdida fue la de Jennifer, de menos de un año de edad. A pocos días de su nacimiento comenzó a sufrir terribles ataques. Después de la extracción del hemisferio derecho de su cerebro, respondió normalmente y todo parecía un éxito.

Aquella noche tuvo un paro cardíaco. Volví de prisa al hospital. Este es el final de la historia:

El equipo estaba todavía resucitando a la niña cuando llegué. Me uní a ellos y seguimos intentando hacer todo lo posible para que volviera en sí. *Dios mío, por favor, no la dejes morir. Por favor.*

Después de una hora y media, miré a la enfermera y en sus ojos vi lo que ya sabía. «No va a volver en sí», dije.

Hizo falta mucha fuerza de voluntad para no romper a llorar por la pérdida de esa criatura. De inmediato me volví y corrí a la habitación donde estaban esperando los padres. Sus ojos asustados se encontraron con los míos. «Lo lamento...» dije y no pude más. Por primera vez en mi vida de adulto comencé a llorar en público. Me sentí muy mal por los padres y su terrible pérdida. Habían pasado por una montaña rusa de preocupación, fe, desesperación, optimismo, esperanza y dolor en los once meses de vida de la pequeña Jennifer.[1]

Art Wong ocupa un lugar especial en mi corazón. Cuando pienso en cuanto a dar lo mejor de sí, tengo que presentarlo como uno de los mejores ejemplos que conozco.

Figura entre los residentes destacados que he visto completar el programa, tanto cuando era residente como desde que soy parte del equipo facultativo. En nuestro programa hemos tenido algunas personas increíblemente sorprendentes como residentes, que están entre los mejores en sus cursos en la escuela de medicina. Ubico a Art Wong por encima de todos ellos.

Art era un compañero agradable, dispuesto a aprenderlo todo, incluso como residente de primer año. Era oriental, medía alrededor de un metro sesenta, un tanto rechoncho, de rostro aniñado y siempre parecía tener una sonrisa traviesa.

—Sí, lo puedo hacer.

Cada vez que pienso en Art, todavía puedo escucharlo decir aquellas palabras. Tenía un aire de absoluta confianza, pero no era engreído. El hombre creía en realidad que podía hacer prácticamente cualquier cosa. El hecho es que ¡lo podía hacer! Incluso, como residente de primer año, podía hacer una cantidad de cosas técnicamente que muchos de los residentes antiguos no habían logrado.

Para la época en que era jefe de los residentes, Art Wong sin lugar a dudas era el mejor. Lo podría clasificar como mejor en neurocirugía que el noventa y nueve por ciento de los facultativos del país. Era inteligente en extremo. Cuando trabajábamos juntos, era obvio que Art ya estaba en camino de convertirse en uno de los neurocirujanos más prominentes del mundo.

Sin embargo, lo que más me gustaba de Art era que resultaba divertido estar con él. A veces cuando entrábamos en la sala de operaciones y trabajábamos juntos en una derivación, me encargaba del abordaje abdominal y él de la cabeza o viceversa.

—¿Lo haré más rápido que tú? —preguntaba mientras se iluminaban sus ojos traviesos—. Puedo, ya lo sabes.

---

[1] *Gifted Hands* [Manos dotadas], pp. 163-64.

Competíamos, cuidando ambos de no traspasar los límites de seguridad. Ninguno de los dos desperdiciaba movimientos, pero él se las arreglaba para hacer comentarios amenos mientras trabajábamos. En aquellas oportunidades no era inusual que pudiéramos hacer una nueva derivación completa en menos de quince minutos. Para un residente esto es totalmente raro. La mayoría del personal del Hopkins conocía acerca de las habilidades técnicas de Art Wong. Cuando operé a Craig Warnick,[2] Susan, la esposa de Craig, que también es enfermera en el Hopkins, me preguntó:

—¿No te opondrías a que Art Wong sea tu asistente?

—Por supuesto que no —dije bien complacido de que eligiera a Art.

Aunque no tuve ninguna duda en aceptar es raro que alguien en la profesión médica pida como asistente a un residente en particular. El pedido me hizo ver cuánto estimaba todo el mundo a Art.

Sin esfuerzo Art Wong se hacía querer por todos. Se daba a sí mismo, y lo hacía en forma tan cálida y solícita, que a muchos de nosotros nos gustaba simplemente estar a su alrededor.

Después que Art terminó su residencia, siguió conectado con el Hopkins. Continuó en el Instituto Barrow, en Arizona, para su preparación adicional de posresidencia, como facultativo neurovascular. Un día me habló por teléfono acerca de un artículo que estábamos publicando en conjunto, ya que necesitaba algunos detalles antes de poder ponerlo en su redacción final.

Dos días más tarde recibí un llamado de la oficina de Don Long. Este cerró la puerta tras de mí.

—Siéntate, Ben.

Por la expresión de su rostro, aunque trataba de no dejarlo ver, supe que algo malo había pasado. La barbilla le temblaba levemente al decir:

—Ben, tengo malas noticias.

Recuerdo haberlo mirado mientras cientos de posibilidades cruzaban por mi mente.

---

2 Su historia está narrada con detalles en *Gifted Hands* [Manos dotadas], pp. 185-200. Craig sufría de Von Hippel-Lindau (VHL). Las personas con esta rara enfermedad (por lo general hereditaria) desarrollan múltiples tumores en el cerebro y en la retina.

—Art Wong —dijo con suavidad. El nombre pareció flotar en el aire antes de que agregara— se ahogó ayer.

—¿Art? No puede ser. ¡Es un excelente nadador! —No quería creerlo. Aunque una parte de mi mente sabía que Don me decía la verdad, no la podía aceptar. No, Art Wong, ese ser humano tan afectuoso y dotado.

—Tiene que haber un error.

—No hay error, Ben —dijo.

Otro de nuestros residentes, que también estaba haciendo una investigación de verano en Barrow, había llamado a Don. De inmediato llamé al doctor Spidler, jefe de neurocirugía en el Barrow.

—Acabo de escuchar un rumor acerca de Art Wong. No puede ser verdad...

—Me temo que sí lo es —respondió.

Siguió hablando, pero no pude atender al resto de la información. *No Art Wong*, continué pensando. *No ese hombre maravillosamente alegre.*

Antes de que colgara, Spidler sugirió que llamara al alguacil para conocer los detalles. Anoté el número y le agradecí... Todavía aturdido, estuve mirando al teléfono un largo tiempo. Quería saber lo que había ocurrido, pero no quería hacer la llamada. Enterarme de lo que había ocurrido significaba que tendría que reconocer la muerte de mi amigo.

Después de algunos minutos llamé al alguacil.

—Lo más que podemos suponer —señaló— es que el señor Wong estaba nadando y...

—Pero era un excelente nadador, sé que...

—Sí, pero aparentemente no tenía experiencia con remolinos. —Me explicó que cuando la gente queda atrapada en un remolino, no debe luchar por librarse—. Lo indicado es aguantar la respiración lo suficiente hasta que el remolino lo deposite a uno donde sea que llegue.

Agregó algunos otros detalles y dijo:

—En todo caso, así es como creemos que ocurrió. —Después expresó sus condolencias antes de colgar.

«No puede ser verdad», dije cuando me senté en mi oficina. Sin embargo, sabía que era verdad y que tenía que enfrentar la realidad. Toda mi vida había escuchado la expresión de: «Me sentí como si se me hubiera venido el mundo abajo». Así es como me sentía. Me encontraba caído y sin fuerzas para levantarme. En silencio continué preguntando: *Dios mío, ¿cómo pudo ocurrir esto? ¿Por qué tuvo que ocurrir algo así?*

Necesitaba estar solo por unos momentos para hablar con Dios acerca de Art y de mi propio sentimiento de pérdida.

«Señor, Art estaba siempre en la cúspide de todo. ¡Qué tremenda pérdida es para nosotros! ¡Qué tremenda pérdida para el mundo! Un accidente estúpido y raro. ¿Cómo puede ser?»

Me llevó un tiempo luchar con la incredulidad. A medida que comencé a aceptarlo, la turbación dio lugar a una pena que dolía tan profundamente que nunca podría encontrar palabras para describirla. No sabía que se podía padecer tanto como sufrí en ese momento.

Después de algunos minutos salí de mi oficina. En el departamento todo el mundo ya lo sabía. Art se había hecho querer por todos nosotros. A pesar de la carga de trabajo, durante la media hora que siguió todos parecíamos necesitar hablar con alguien acerca de Art.

—¿Recuerdas la vez que...?

Debo haber escuchado aquellas palabras por lo menos diez veces. Todos nosotros mencionamos, de una u otra manera, que Art había sido un gran hombre.

Los que habíamos trabajado con Art estábamos tan doloridos, que cancelamos todo, salvo las emergencias, por el resto del día. Era un momento en el que sencillamente no podía actuar como profesional. El dolor era demasiado profundo. Era un alma excepcional y ahora:

> *Él es una porción de la hermosura*
> *que una vez hizo más hermosa.*[3]
> Shelley

*   *   *

La tercera pérdida fue la de un amigo muy cercano llamado Al Johnson. Justamente la noche anterior a su muer-

---

3 *Adonais*, Percy Bysshe Shelley.

te había estado hablando por teléfono con él. Al, un empresario de color, estaba lleno de vida, un hombre que poseía una corriente ilimitada de ideas y actividades, en ese momento se estaba preparando para colocar en el mercado cremas heladas de pasta de maní. Yo actuaba como consejero nutricionista para ayudarlo a producir tanto un delicioso bocadillo como un postre saludable.

Al Johnson, junto con su esposa y uno de sus hijos, murió en un accidente automovilístico.

—¡Qué pérdida! —le dije a Candy pensando en todos ellos y de manera especial en mis dos amigos.

La palabra *pérdida* expresa muy bien la profunda pena que sentía. Una pérdida personal para mí, pero también para el mundo, porque tenían tanto para ofrecer, estaban dándose a sí mismos, hasta el momento de su muerte, sin regateos.

Jennifer no había tenido oportunidad de vivir una vida normal y yo sufría por esa pérdida para el mundo. En comparación, Art y Al eran hombres sumamente vitales, que dieron lo mejor de sí en todo aquello a que se comprometieron.

La vida es una serie continua de partidas.[4]

*   *   *

---

4 *Great Expectations*, de Charles Dickens.

SEIS

Constructores para la eternidad

¿No es extraño
que príncipes, reyes
y bufones que brincan
en pistas de aserrín,
y gente común
como tú y yo
seamos constructores para la eternidad?

Cada uno ha recibido una caja de herramientas,
una masa informe,
un manual de instrucciones.
Cada uno debe hacer
—antes que la vida vuele—
una piedra de tropiezo
o una piedra de apoyo.

R.L. Sharpe

*G**eorgia Simpson se acercó con calma* a la obviamente agitada mujer. «Lamento que el doctor S. esté retrasado. Pero no necesita preocuparse, no la hemos olvidado», le dijo. Ofreció una breve explicación y agregó: «En el día de hoy hemos tenido varias emergencias, pero puedo asegurarle que vale la pena esperar al doctor. Aun cuando tuviera que esperar tres días, créame, valdría la pena».

La mujer antes airada se calmó, sonrió y agradeció a Georgia dos o tres veces. «Entiendo, sí, entiendo. Claro. Ahora que sé que es una emergencia...»

Tal vez poner por escrito esta conversación no expresa lo notable de lo ocurrido, pero es innegable que Georgia Simpson hace algo más que decir palabras, comunica que nos *preocupamos* por la gente que viene a nosotros.

Georgia Simpson es una de aquellas personas poco reconocidas en el Hospital Johns Hopkins. Quiero señalar que no todo el mundo tiene que ser un neurocirujano de mucha autoridad para aportar significativamente a la ecuación que produce el éxito en este lugar.

Mucho del éxito que he experimentado se debe, en gran medida, a muchos otros. En especial a personas cuyo aporte es *indispensable*. Podría seguir hablando, de manera interminable, acerca de las excelentes personas con quienes estoy asociado en el Johns Hopkins. Algunas de ellas se destacan como absolutamente extraordinarias.

Cuando la gente llega por primera vez a nuestra clínica de neurología y neurocirugía, la primera persona con quien hablan es la animosa Georgia Simpson, de un metro sesenta, cabello castaño, con apenas un toque de gris. Una persona que entre a la clínica quizás esté muriendo de la peor enfermedad del mundo, pero Georgia puede lograr que sonría y hasta eche a reír en pocos minutos. No es que sea un genio del humor o haga bromas, en realidad es mucho más ingeniosa y solícita. Esta mujer da lo mejor de sí a la clínica, sencillamente estando a disposición de la gente. Para mi modo de ver, es nuestra mejor propaganda de compasión. No es «sólo» una recepcionista, sino un modelo de excelencia en lo que hace.

Georgia tiene la misteriosa habilidad de ayudar a las personas a enfocar el lado positivo de las cosas. No es manipuladora, ni tiene una estudiada artimaña sicológica. Sus palabras y su conducta fluyen de su profundo sentido de compromiso.

No hace mucho, uno de los otros cirujanos se había demorado en una operación, pues resultó más compleja de lo que él había anticipado. Una mujer y su hijo estaban esperando. La madre hervía de enojo y comenzó a hacer comentarios sarcásticos a los que estaban sentados a su alrededor.

—Teníamos una cita —dijo en voz alta para que todos

en la sala la escucharan—. ¡De qué nos sirve! ¿Qué si nos hubiéramos estado muriendo en este momento?

Georgia se acercó con calma y dijo:

—Debí haberlo explicado antes.

Como me estaba dando la espalda no escuché el resto de lo que dijo a la airada mujer. Pero pude ver que la actitud cambió.

—Gracias por explicarme —musitó la mujer antes de que Georgia volviera a su escritorio—. Supongo que estaba nerviosa y molesta por tanta espera. Ahora me siento mucho mejor. Gracias otra vez, me alegro que me lo haya dicho.

¡Cómo aprecié a Georgia en ese momento! En contraste, no hace mucho en otro hospital escuché a un hombre vociferando en un lenguaje vulgar a la recepcionista. Terminó diciendo:

—No sé por qué hacen esperar a la gente. ¡Nuestro tiempo también es importante!

—Estoy de acuerdo con usted —contestó la recepcionista—. Algunas de estas personas parecen no darse cuenta, ¿verdad?

Como estaba pasando por allí, no escuché el resto de la conversación. Hace falta poca imaginación para suponer el resto de su respuesta. Tal vez pensó que podía calmar al hombre dándole la razón, pero desafortunadamente carecía de la habilidad particular tan natural en Georgia.

La atmósfera, incluso en la sala de espera, puede tener una enorme diferencia en la manera que uno se siente cuando entra. Con franqueza, gracias a que Georgia está en ese lugar, es un placer entrar a la clínica. La recepcionista en una clínica atestada es una «persona clave». Los pacientes y sus familias descargan su ansiedad en personas como Georgia. Porque cuando algo anda mal, por lo general la recepcionista es la única persona a la que pueden acercarse. Sin embargo, Georgia encamina la hostilidad y la maneja bien, no asumiendo personalmente la ira de la gente, ni luchando para defender la institución.

—Georgia —le dije en una oportunidad— si alguna vez nos dejas, no sé qué haremos.

—Prometo quedarme aquí para siempre —respondió

con amabilidad (algo que siempre hace de todos modos).

Espero que así sea, porque antes de que ella llegara, nadie permaneció en su trabajo más de un año. Georgia, que piensa en grande, está en su puesto todos los días, dando lo mejor de sí ¡y los resultados están a la vista!

* * *

Uno de los grandes secretos del éxito que he gozado en el Johns Hopkins es que me respalda gente de primera categoría, a quienes no se señala al momento del reconocimiento, que rara vez reciben publicidad, pero que hacen que cada día transcurra con facilidad. Estos son los *indispensables* que dan lo máximo de sí, más allá de su salario o de la escala ocupacional. Sólo puedo decir que estos héroes y heroínas olvidados despliegan un compromiso que va mucho más allá que las limitaciones de su trabajo.

Pat Brothers comenzó siendo mi secretaria, pero desde entonces la hemos ascendido a primer asistente administrativa y hemos contratado otra secretaria a tiempo completo, Juanita Foster. Conocí a Pat cuando era residente. Era la secretaria del Dr. Epstein, entonces jefe de neurocirugía pediátrica. Desde que me la presentaron, observé su eficiencia y madurez. En esa época tenía alrededor de veinticinco años. Mide cerca de un metro setenta, tiene cabello corto y en su aspecto y movimientos se parece a Grace Jones. Tiene una notable habilidad para hacer su trabajo, no importa qué clase de obstáculos tenga que enfrentar.

Era tan buena que no pude evitar que me llamara la atención, en especial cada vez que pensaba en mi propia situación. Cuando integré el equipo en el Johns Hopkins, había tenido una serie de secretarias ineptas el primer año. Al enterarme que el Sr. Epstein se iba, corrí a la oficina de Pat.

Ella confirmó lo que había escuchado, de modo que le dije:

—Pat, cuando el Dr. Epstein se vaya, necesito que trabajes para mí, por favor. —Estaba dispuesto a suplicarle si era necesario.

—Pero usted tiene una secretaria —dijo con cierta expresión de sorpresa.

—No —dije. Esperando no humillar a la que era mi secretaria en ese momento, pero queriendo que Pat supiera con qué urgencia necesitaba su ayuda—. Pat, tengo alguien que trabaja para mí ahora, pero no estoy satisfecho con su trabajo. No sé cómo haré para despedirla, pero quiero que *tú* la remplaces. Necesito tu capacidad especial. ¿Pasarás a nuestra sección?

—Está bien —dijo—. Veremos si lo podemos resolver.

Me fui de su oficina triunfante. Era exactamente el tipo de persona que necesitaba si quería concentrarme más en mi propio trabajo. Mientras tanto, tenía que encarar el problema de qué hacer con mi actual secretaria, quien, aparte de ser incapaz para hacer su trabajo, era alcohólica. No se lo había dicho a nadie, pero sabía que algo tenía que cambiar.

¿Cómo puedo manejar esta situación? La mujer en realidad necesita ayuda. Si la despido aumentaré el desastre de su vida. Pero no puedo seguir con esta crasa ineficiencia, pensé. Por otra parte, soy un tanto sensible. Siempre me siento triste cuando debo hacer algo desagradable, incluso si es necesario y me resulta duro tener que despedir a alguien. Ahí estaba yo, sin saber qué hacer.

Volví a mi oficina, cerré la puerta y oré en silencio. *Señor, ¿cómo voy a resolver este asunto sin tener que herir a nadie? Quiero ser amable con ella, pero no puedo permitir que esto siga así.*

No recibí una respuesta inmediata, pero me sentí un poquito mejor.

Dos semanas más tarde, mi secretaria de entonces no apareció un lunes por la mañana. Llamamos a su apartamento y no recibimos respuesta, ni entonces ni después. Durante varios días estuvimos tratando de localizarla, incluso preguntamos en todos los hospitales del área. Nunca pudimos saber qué le había ocurrido. Sencillamente desapareció. Lamento que la profundidad de los problemas de esta mujer, que la llevaron a aquella situación crítica, no fuera más evidente para mí y que no dispusiera de más tiempo para tratar de ayudarla.

Estoy agradecido de que este problema se resolviera sin ninguna situación desagradable de mi parte. Habiendo quedado vacante el puesto, Pat aceptó el trabajo. De inmediato, la oficina de Benjamín Carson se convirtió en un modelo de eficiencia, todo gracias a Pat Brothers.

Pat ha tenido varios golpes duros en su vida, pero sigue

adelante. Luego de un matrimonio desastroso, está criando dos niños por su cuenta como madre sola. Extremadamente despierta, Pat nunca tuvo la oportunidad de completar su educación formal, pero ha hecho lo mejor que ha podido: da lo mejor de sí en su trabajo.

Pat no sólo es muy inteligente, sino que es una de esas escasas personas que pueden lograr cualquier cosa que se proponen. Puede resolver asuntos complicados y llegar al meollo de la cuestión.

Pat se ha comprometido a tal punto con lo que hago que prácticamente conoce todo el procedimiento que sigo en una hemisferectomía. Un día llegué a la oficina y la encontré explicándole a un señor de la costa oeste el proceso de la operación: «Eso es, ya entendió la idea», decía en su voz muy profesional. «El tallo cerebral es como el flujo eléctrico de un generador».

Lenta y cuidadosamente, utilizando un lenguaje no técnico, Pat llevó a la persona por cada paso del procedimiento quirúrgico. Podría haber llamado a Carol James, la AM (Asistente de Médico), a quien llamo mi «mano derecha», una opción que Pat no hubiera dudado en elegir de no haber sabido la respuesta.

Sonreí, hice un ademán y seguí caminando. Pat no necesitaba ayuda de mi parte. *Querido Señor, pensé, qué agradecido estoy por Pat. ¿Cómo pude habérmelas arreglado sin ella? Cuando habla a la gente, casi nunca tengo que llegarme al teléfono para explicar algo. Mi oficina ha llegado a ser una de las más ocupadas, pero ella se prepara para ser bombardeada de cincuenta lugares diferentes y aun así mantiene su compostura.*

Un comentario final: Pat es leal. Nunca tengo que preocuparme por lo que dice, ni someter a la censura mis conversaciones por temor a que repita algo de lo que digo.

Tener una secretaria leal es tremendamente gratificante. Aunque la fidelidad tal vez sea una cualidad que se da por sentada al dar lo mejor de uno, sigo considerándola una de las principales características que todos necesitamos tener, si es que vamos a dar lo mejor de nosotros mismos.

* * *

La tercera persona a quien quiero dar crédito es a Carol

James, quien ha estado en el Hopkins durante más de veinte años y es una de las personas más perspicaces que conozco. Es muy bonita, de mediana estatura y usa suelto su largo cabello rubio.

Carol James es una de mis tres AM (Asistentes de Médico), aunque es la jefa de los asistentes en todo el departamento de neurocirugía. Mis otras dos asistentes de médico en neurocirugía pediátrica, Kim Klein y Dana Foer, son relativamente nuevas, pero también ellas están llegando, con mucha rapidez, a dominar su campo y a ser apreciadas por su excelente trabajo. Como son jóvenes, talentosas y bonitas, algunas personas han comenzado a referirse a ellas como «los ángeles de Ben», imitando a la vieja serie de televisión: *Los ángeles de Charlie.*

Con la excepción de mi esposa y de mi madre, Carol James me conoce mejor que nadie en el mundo. Carol ciertamente pasa mucho tiempo conmigo. Una de las ventajas de trabajar con ella es que sabe cómo pienso. Cuando estoy ocupado en la sala de operaciones durante doce horas, o debo ausentarme, o una situación empeora, ella sabe, con exactitud, qué hacer. En realidad sabe cómo reaccionaría y qué haría en las diversas circunstancias.

Con regularidad, cuando ambos estamos hablando con un paciente, por ejemplo, lo hacemos de la siguiente manera:

Ben: Probablemente era sólo cuestión de que alguno... hmm...

Carol: ... no estaba consciente de la historia familiar...

O cuando ambos salimos de la sala juntos, ella dirá: «No tienes que decirlo. Sé exactamente lo que estás pensando». Unas pocas veces repliqué: «Bueno, entonces dímelo».

En realidad, siempre acierta que me conoce. Ahora le creo cuando me lo dice.

Carol es una persona centrada en la gente y dedica tiempo a cada paciente. Es imposible que pueda dedicar la misma cantidad de tiempo a todos, explicándoles las complejas operaciones, sus variaciones e imprevistos. Pero Carol puede dedicar interminables horas a sentarse con las familias, explicando los pros y los contras, inspirándoles confianza y contestando a todas sus preguntas médicas. Tiene un sentido intuitivo de cómo tratar a cada persona. A veces hace diagramas o se vale de muñecos para explicar o mostrar una derivación para que entiendan cómo se inserta.

Además, Carol lee mi correspondencia. Confío en ella para que responda la mayor parte de la misma, porque de todas maneras sabe lo que diría. Aunque leo antes de firmar lo que ella escribe, raramente hago el mínimo cambio. Intercepta las llamadas telefónicas (dependiendo de los pacientes) y decide si corresponden a nuestra sección o no. Examina el material, revisa las placas radiográficas, después me presenta todo con sus observaciones y recomendaciones.

¿Qué haría sin Carol James en la sala de operaciones? Si tengo que salir por un momento, mantiene en orden a los residentes y se asegura de que no hagan nada inadecuado, porque conoce a fondo cómo realizo las cosas. Ha llegado al punto (¡y eso me gusta!) en que la gente que necesita algo de mí va directamente a Carol porque está más disponible. Esto me libera para ocuparme de las cosas más relacionadas con la cirugía.

Cuando llegan los residentes a la sección de neurocirugía pediátrica, perciben de inmediato que Carol sabe mucho más del trabajo que ellos. Se gana su respeto sin dificultad. En realidad, se encarga tan bien de los residentes, que terminan queriéndola. Para muchos de ellos hace de madre, aunque apenas tiene edad para serlo.

En algunos aspectos, Carol también es una mentora para las otras asistentes que entran en escena. Durante los dos últimos años ha trabajado para promover en el público, una mejor imagen de los asistentes de médicos. También está muy comprometida con convenciones y otros programas.

Cuando tengo que escribir un artículo, reúne el material a investigar. En 1989, al tener a mi cargo a cinco estudiantes que llevaban a cabo proyectos clínicos, en realidad eran sus alumnos. Les enseñó cómo encontrar información en la biblioteca y en el departamento de archivos médicos, y los encaminó a las publicaciones y estudios significativos relacionados con sus proyectos.

Esto es fundamental: Su presencia me permite hacer dos veces más de lo que haría normalmente y lo hace *sin protestar*. Esta dedicada persona viene todas las mañanas entre las siete y las siete y treinta de la mañana, y se queda todas las noches hasta que me voy, no importa la hora que sea. Rara vez me voy antes de las siete de la noche, en ocasiones lo hago a las once y ella sigue en su trabajo. No hay lugar a dudas, no podría arreglármelas sin ella. Me siento bendecido al contar con alguien como Carol trabajando para mí.

Según he mencionado, soy un poco sensible y es fácil que la gente se aproveche de mí. Carol, junto con Pat Brothers, evita que eso ocurra. Ella se llama a sí misma «la mala», aunque en realidad está lejos de serlo. Carol sencillamente es más práctica y reconoce las limitaciones antes que yo.

Para resumir la importancia de Carol James: Ella es otro notable ejemplo de una persona que está dedicada a su trabajo y que con generosidad ofrece lo mejor de sí.

*   *   *

Cuando era un residente de primer año, la primera practicante de enfermería en neurocirugía (PE) que vino al Hopkins fue Mary Kay Conover. (Las PE han ido más allá de su formación como enfermeras y han seguido cursos de capacitación médica. Pueden prescribir medicamentos, lo que las coloca entre el enfermero y el médico, algo así como asistente de médico.)

Recién salida de la escuela de enfermería, Mary Kay estaba ansiosa por aprender de todo. Aunque al comienzo llevó mucho tiempo enseñarle acerca de neurocirugía, ella tenía planeado dedicar el resto de su vida a ese campo. Mary Kay personifica la analogía de la esponja, porque con diligencia procura absorberlo todo.

Cuando Mary Kay llegó solíamos tener alrededor de cien pacientes en nuestro servicio en cualquier momento dado. A las pocas semanas de su arribo, ya había superado el nivel de tareas previstas para su función. Algunos días, los únicos que estábamos en la guardia éramos Mary Kay y yo. Sin embargo, habíamos desarrollado tal eficiencia y trabajo en equipo, que para el mediodía o la una de la tarde ya teníamos listo todo el trabajo previo a la cirugía (la programación de los análisis, los estudios de laboratorio y la preparación preoperatoria de los pacientes para el día siguiente).

Mary Kay todavía anda por aquí. Sigue trabajando incansablemente, sigue sentando un ejemplo de excelencia. Su dedicación la ha hecho muy valiosa para este departamento.

En una ocasión, me había demorado en el quirófano durante varias horas porque se me requería allí y no tuve la oportunidad de hacer mucho del trabajo que se iba acumulando durante el día previo a la cirugía. Me sentía sumamente preocupado por eso, pero no había nada que pudiera hacer. Era muy tarde en la noche cuando salí del quirófano.

No debería haberme preocupado. Mary Kay no sólo había hecho todo el trabajo, sino que también había informado a los pacientes recién admitidos que llegaría tarde. Aunque era soltera en ese momento y tenía un programa social apretado, nunca abandonaba el hospital antes de estar segura de que no quedaría sobrecargado por las tareas pendientes que esperaban al salir de la sala de operaciones. Además, como sabía que no tendría tiempo de comer, solía dejarme un chocolate para que lo saboreara al pasar.

¿No es acaso esa atención dar lo mejor de sí?

* * *

En 1987, Carolyn Childs era la enfermera jefa del quirófano de neurocirugía, cuando realizamos la operación de los siameses Binder. Pocas personas no relacionadas con el histórico evento conocen el valor del trabajo de Carolyn.

Ella es una de esas personas muy organizadas que está siempre tratando de adelantarse a lo que se va a necesitar para los casos de rutina, como también para los más espectaculares.

Cuando el Hopkins accedió a separar a los mellizos Binder, un equipo de setenta de nosotros dedicamos cinco meses a preparar la operación. Entre sus obligaciones, le tocó encargarse de la compilación de un manual que distribuimos entre el personal del quirófano, a cada persona que estaría involucrada, para que todo el mundo supiera a qué atenerse durante la operación y qué instrumentos tener preparados.

Para darles un ejemplo del talento y el compromiso de esta mujer, incluyo aquí un extracto de una conversación que tuvimos en relación a la operación de los mellizos Binder:

—Ben —dijo— necesito saber el instrumental que utilizarás.

Posteriormente, dedujo el resto de la información que necesitaría tener durante las veintidós inciertas horas que duraría el procedimiento.

En ese momento no estaba seguro de cómo darle la información que ella necesitaba. Era evidente que no podía abarcar la lista en tres minutos, pero no necesitaba preocuparme, porque ella ya lo había supuesto.

—Nadie sabe exactamente cómo prepararse, pero no vamos a encontrarnos desprevenidos —dijo—. Como no se ha hecho antes, esto es lo que vamos a tener que hacer. Ben, tú y yo haremos una revisión de toda la rutina.

En mi interior protesté sin entender.

—Me gustaría hacerlo así. Ben, acuéstate, cierra los ojos, relájate y repasa en tu mente todo el procedimiento. Al ir haciéndolo, me dices lo que necesitas.

Dispusimos, unos días más tarde, de un momento para este proceso de visualización.

Carolyn se sentó en una silla del otro lado, con su tablilla y el bolígrafo, de la forma que supongo que ocurre en una sesión siquiátrica.

—Bien —anunció— en este momento todos hemos entrado en la sala y...

—Y ya está preparado el campo quirúrgico —dije—. Escalpelo. Bipolar. Elevador del periósteo.

A medida que visualizaba cada paso en la operación, lo describía.

Durante las dos o tres horas que siguieron fui pidiendo los diversos instrumentos que me visualizaba usando.

—Ronjours... tijeras de Metzenbaum... curetas... aspirador...

Esta experiencia me ayudó a sentirme más relajado respecto a la operación y pude enumerarle todo lo que necesitaría.

Carolyn Childs no se limita al quirófano, porque es igualmente necesaria en la unidad de terapia intensiva, en las guardias y en la sección clínica.

Estos profesionales, como Carolyn Childs, a menudo no son tomados en cuenta. Son la gente de vanguardia. A veces llamo a las enfermeras «la infantería», porque sin ellas no podríamos encarar la guerra contra la enfermedad.

Virtualmente todos mis colegas son superestrellas en su especialidad, de lo contrario no podrían permanecer en sus posiciones. Es una combinación de este tipo de personas, con frecuencia menospreciadas, lo que hace posible mi trabajo en un lugar como el Hopkins.

SIETE

Padres y pacientes

*Les aseguro que si tienen fe y no dudan, le dirán a
este cerro: «Quítate de ahí y lánzate al mar», y así
sucederá.*
*Y todo lo que ustedes, al orar, pidan con fe, lo
recibirán.*

(Versión Dios llega al hombre)

O*casionalmente hablo* con personas que ven a los médicos
como sujetos que no hacen otra cosa que dar de sí mismos y
que nunca reciben algo de los demás, en especial de los
pacientes. Eso es totalmente falso.

Cuanto más practico mi profesión, más me doy cuenta
de lo mucho que recibo de aquellos que vienen en busca de
mi ayuda. Algo en el proceso de compartir y cuidar no sólo
une a los médicos con los pacientes (lo mismo que con sus
familiares), sino que enseña lecciones valiosas acerca de la
vida, por el sólo hecho de estar en contacto con ella.

Pienso de inmediato en dos familias.

Primero, la familia Thomya, de Tailandia, cuya historia
se centra más en la madre que en el paciente.

Una niñita, llamada Bua, cuya edad no llegaba al año,
tenía una malformación vascular que abarcaba la mayor
parte de su cerebro, desde la parte trasera de su cabeza hasta
adelante, e incluso hasta el rostro y la nariz. Con el tiempo,
la continua hemorragia de la nariz le podía causar la muerte.

En 1987, después de vanos intentos quirúrgicos en Tailandia, Tanya Thomya decidió traer a su hija a los Estados
Unidos. Uno de los médicos de Tailandia, que había estado
atendiendo a Bua, había hecho una rotación de anestesiología

en el Hopkins y, por supuesto, sabía que nosotros hacíamos muchas cirugías relativamente osadas. Por medio de su contacto con Mark Rogers, los ayudó a arreglar el traslado de Bua al Hopkins. A continuación comenzamos a evaluar esta tremenda anomalía vascular. Dedicamos cierto tiempo a tratar de encontrar una manera de corregir su condición.

Al comienzo pensé atacarla directamente. Pero ya en el quirófano, una vez que hice un agujero en el cráneo con el buril, la hemorragia era tal, que no sabía si podría detenerla. Al final lo logré, pero en el proceso se hizo absolutamente claro que no podría llevar adelante mi plan inicial. La niña se desangraría hasta morir antes de que pudiera hacer algún trabajo correctivo.

El doctor Gerald Debrun, un famoso y especializado neurorradiólogo, ya había desarrollado técnicas para bloquear y corregir malformaciones vasculares con balones, sustancias adhesivas y otras que se inyectaban en las arterias. Usando los resultados de sus logros, nuestro equipo desarrolló un plan. Volveríamos a llevar a Bua al quirófano, donde pondría al descubierto una porción mayor de la malformación. Entonces inyectaríamos pequeñas espirales trombogénicas (que inducen coágulos) de superficie rugosa en las malformaciones vasculares. (La idea era que estas espirales «indujeran» a las plaquetas de la sangre a adherirse a ellas y formar coágulos sanguíneos.) Pensábamos que si podíamos introducir suficientes espirales trombogénicas en las partes adecuadas de esta malformación vascular, toda ella se coagularía.

Trabajamos durante seis horas. En el proceso insertamos más de cien espirales. Hasta donde podía ver, las espirales estaban haciendo su trabajo. Las hemorragias nasales de Bua se detuvieron.

La señora Thomya llevó a su niñita de vuelta a Tailandia. Por más de un año Bua anduvo bien y se estaba desenvolviendo de manera normal. Pasado un tiempo comenzaron de nuevo las hemorragias nasales.

La madre volvió de inmediato con la niña al Hopkins y allí la examinamos. El horrible monstruo vascular había vuelto creando nuevos canales de vasos malformados.

—Volveremos a probar —dije a la preocupada madre—. Haremos todo lo posible.

Ella no dijo mucho, pero el evidente alivio en su rostro mostraba que estaba muy consciente de la gravedad de Bua. Sentí que la madre temía que le hubiera dicho: «Lo lamento, no hay nada que podamos hacer».

Le hicimos cuatro operaciones en total. Todas ellas para obstruir porciones de la malformación. En la última cirugía llegué al gran canal que debía ser obstruido. Cuando salí a ver a la señora Thomya le dije:

—No tenemos seguridad, pero parece que esta vez hemos ganado.

La señora Thomya había permanecido pacientemente todo el tiempo en el Hopkins con su hija, dedicándole cada minuto. A pesar del cansancio dibujado en sus negros y ojerosos ojos, sonrió.

—Gracias —dijo con suavidad.

Siguiendo el procedimiento normal, Bua pasó a la sala de terapia intensiva. Apenas unas horas después tuvo un ataque, seguido por otro y luego otro. Estuvo en anoxia (sin oxígeno) por un corto tiempo.

Después de los ataques nunca se recuperó. Vivió pero yaciendo quieta y mirando a su alrededor. Como varios de nosotros habíamos estado involucrados en su caso, fue uno de esos tristes fracasos que nos deprimió durante varios días.

Sin embargo, decidí contar esta historia no por la complejidad de la situación o por el fracaso final, sino para enfocar a la madre de Bua. A lo largo de los años he observado a muchos, muchos padres dedicados, pero ninguno como la señora Thomya. La madre se quedó junto a la niña a lo largo de toda la prueba. Dio lo mejor de sí, se dio a sí misma y a su hija.

Más allá de lo que podríamos llamar un sentimiento genuino de dedicación, había desarrollado una unión intuitiva con la pequeña Bua que jamás he visto en ningún otro padre. De una manera que ninguno de nosotros pudimos entender, la señora Thomya conocía por completo a su hija. Era como si hubieran desarrollado una comunicación interior mística no verbal. Por ejemplo, lo que a nosotros nos parecía apenas una simple mirada casual, le decía a ella con precisión cuando la niña estaba a punto de vomitar, cuando se sentía bien o no.

La segunda vez que la señora Thomya trajo a su hija a Norteamérica vivió en el hospital durante seis meses. Su madre se quedó a su lado sin ningun deseo de irse. «Es mi hija», decía con firmeza. Para ella era la única explicación que necesitaba ofrecer.

Al ser de Tailandia, no tenían seguro social. Esto significaba que debían pagar de su propio bolsillo la espantosa cuenta. Los Thomya habían sido una familia pudiente antes que comenzara el problema de Bua. Para cuando terminó el tratamiento eran una familia pobre. A pesar de esto, la señora Thomya no se negaba a renunciar. Ella y su esposo estaban dispuestos a utilizar todos sus recursos por el bien de su hija.

En cuanto a dedicación creo que nunca he visto una madre menos egoísta o más solícita. Estaba lejos de su esposo, sus otros hijos y su gran casa. Nadie podría haber estado más dedicado al bienestar de Bua. En una oportunidad dijo acerca de los otros niños, a quienes extrañaba mucho: «Tienen un padre y abuelos. Bua no tiene a nadie más que a mí. Debo quedarme». Mes tras mes la señora Thomya hacía lo que se requería, sin la menor duda o queja.

Me sentí en extremo adolorido por la madre y por la familia al ver cómo sus recursos se agotaban. Muchas veces quise que se hiciera algo para ayudarlos económicamente. Aunque llené tantos cheques como pude y el hospital ayudó con parte de los gastos, el costo de vivir en Norteamérica, los carísimos equipos, los medicamentos y demás elementos, hicieron que la cuenta total resultara astronómica. Pero, repito, el amor de la señora Thomya por su hija, una niña que ella sabía que quizás no viviría y que si vivía sería severamente retardada, nunca menguó.

Cuando parecía que las cosas iban bien, me sentía emocionado. Cuando parecía que todo estaba saliendo mal, me sentía desolado. Sin embargo, a través de todos los momentos críticos la señora Thomya se mantuvo agradable y optimista.

—Sólo pueden hacer lo mejor posible —me dijo—. Eso es todo lo que Dios pide de cualquiera de nosotros, ¿no es verdad?

Incluso ahora, la señora Thomya se mantiene en contacto con nosotros. A comienzos de 1990 nos envió fotografías de su nuevo bebé. Sigue adelante con su vida y entregándose a su familia. Y no descuida a Bua. La señora Thomya continuará cuidando a su niña retrasada hasta el día en que muera.

Nadie podría haber dado más de lo que ha dado esta señora.

*   *   *

La segunda familia que me viene a la mente es la de los Pylant. Neil y Carol Pylant habían deseado tener un hijo más que cualquier otra cosa. Siendo cristianos devotos habían orado fervientemente a Dios para que les diera un niño. Por fin el Señor los bendijo con un hijo, al que llamaron Christopher.

Desde su más tierna infancia a Christopher le gustaban las historias acerca de Jesús y otros personajes bíblicos. Tan pronto como pudo unir las palabras entre sí para formar frases comenzó a citar versículos bíblicos de memoria. Esto casi suena como una historia ficticia acerca de una familia perfecta, pero no duró mucho tiempo. Pronto los azotó la tragedia.

Cuando Christopher tenía cuatro años comenzó a marearse y a tropezar. Después sus padres notaron otras conductas anormales, como su dificultad para controlar las secreciones, al punto de llegar a echar espuma por la boca. Más tarde al niño se le manifestaron trastornos en la vista (doble visión).

Cuando los médicos lo examinaron por primera vez, en Atlanta, donde vivían, pensaron que podía tener encefalitis o algún otro tipo de inflamación del cerebro. Después de estudios exhaustivos por parte de varios médicos, lo enviaron al hospital de la universidad de Emory, donde los doctores concluyeron que Christopher tenía un tumor maligno en el tronco cerebral.

Digo «concluyeron» porque, aunque los médicos realizaron un rastreo del tipo TAC (tomografía axial computarizada), ni siquiera podían ver el tronco cerebral. Lo único que lograron advertir era una lesión horrible, aparentemente maligna.

—Es una condición inoperable —dijo uno de los médicos a Neil y Carol Pylant.

—¿Qué quiere decir con eso? —preguntó Neil, aunque quizás lo sabía.

—Mi consejo es que lleven al niño a casa, lo pongan lo más cómodo posible y esperen.

—¿Esperar? ¿Esperar a que muera?

—Me temo que sí.

—¡No! —dijo Neil Pylant— Dios puede sanar a nuestro hijo.

—Usted no entiende —recalcó el médico—. El niño, bueno... este... no vivirá mucho tiempo.

—No me importa el diagnóstico —insistió Neil con firmeza—. Dios nos dio este niño. Estoy seguro que Él lo sanará.

De Emory, los Pylant llevaron al pequeño a distintos centros médicos, todos los cuales ofrecieron el mismo diagnóstico: «Sencillamente hagan lo mejor por él», les aconsejaban. «Permitan que el niño muera en casa con comodidad».

Carol y Neil no se conformaron con esa sentencia. Se pusieron en contacto con personas que curan por fe a todo lo largo de los Estados Unidos. Escribieron, telefonearon o visitaron a todo aquel del cual oyeron que sanaba enfermos. Mientras tanto, Christopher continuaba deteriorándose.

Conocí por primera vez a los Pylant, cuando vinieron al Johns Hopkins a finales de 1984.

—Me sentí impelido a traer al niño aquí —dijo Neil en su suave acento sureño—. Hemos orado para que Dios nos guiara a un neurocirujano cristiano que pudiera ayudar a nuestro niño. (No había oído hablar de mí antes.)

Christopher yacía en la camilla, respirando a duras penas y prácticamente inmóvil. Era un niño pálido, rubio, casi un esqueleto y tenía los ojos cruzados. Daba lástima.

—Aquí están las radiografías —dijo Neil entregándome un sobre grande—. Las trajimos directamente nosotros.

Tomé las radiografías, las coloqué frente a la luz y dije:

—Esto parece un tumor difuso del tronco cerebral. —Hice una pausa para mirar a los padres—. Un tumor difuso en el tronco cerebral es algo que no se cura con ninguna operación. Lo lamento, pero no puedo hacer nada por este caso.

—Doctor Carson —dijo Neil— sabemos que el Señor va a sanar a nuestro hijo. Vinimos al Johns Hopkins después de mucha oración. Sentimos que si veníamos aquí con nuestro hijo, encontraríamos un neurocirujano cristiano que podría ayudar a Christopher. Cuando supimos que usted es cristiano, entendimos que habíamos venido al lugar correcto.

—Sabemos que es esto lo que va a ocurrir —dijo Carol, quien, como me enteraría más tarde, hablaba muy poco. Sin embargo, la tranquilidad en su voz no hacía otra cosa que enfatizar la fuerza de su convicción.

Con franqueza, la actitud de los padres me desconcertó. Nunca antes, ni después, encontré padres que hablaran con una convicción tan obviamente sincera. Aunque no podía darles la más mínima esperanza, quería hacer algo. Al final dije:

—Bueno, voy a hacer lo siguiente. Al menos voy a mostrar las radiografías a los radiólogos. Tal vez vean algo que yo no veo.

—Cualquier cosa, doctor Carson —dijo Neil—. Sé que Dios lo va a usar.

Los radiólogos estudiaron las radiografías y señalaron:

—Parece un tumor difuso en el tronco cerebral.

—Me pregunto —dije— si pudiéramos intentar otros rastreos. Tal vez con el RNM[1] podríamos ver si hay alguna posibilidad de que exista otra cosa que el tumor difuso en el tronco cerebral.

—Bueno, ¿por qué no? —dijo el radiólogo encogiéndose de hombros.

Sometimos a Christopher a los exámenes RNM. Después de ello, seguía pareciendo que no era otra cosa que un tumor difuso en el tronco cerebral y eso fue exactamente lo que informé a sus padres.

—Pero doctor Carson —insistió Neil— el Señor lo va a sanar y va a utilizarlo a usted para ello.

—No sé cómo es que Dios va a hacer eso —dije tratando de ser honesto y sin aumentar su dolor— porque no puedo encontrar ninguna buena razón para hacer otra cosa. Por

---

1 RNM (Resonancia Nuclear Magnética)

favor, traten de aceptar que todos los estudios que hemos hecho sólo confirman que este tumor es inoperable.

—Por favor, doctor, usted puede hacer algo más —suplicó Neil—. Sé que Dios lo va a usar para sanar a nuestro hijo.

No recuerdo el resto de la conversación, pero me sentía cada vez más presionado y más inseguro en cuanto a qué hacer.

—Estoy impresionado con la fe de ustedes, pero no puedo hacer nada.

—Sabemos que va a ocurrir así —dijo Neil Pylant con suavidad y absoluta convicción, sin falsos alardes y sin levantar la voz.

—Bueno —dije— denme tiempo para pensar.

En parte, quizás estaba cediendo a la presión de Neil Pylant, pero era algo más que me hizo decidir encontrar una solución. Ese algo más era la fe incuestionable que veía en estos padres.

—Les diré algo. Ustedes ya han recorrido todo este camino, pero puedo hacer una biopsia de la lesión. Si lo hacemos lograríamos descubrir el tipo exacto de tumor. En base a ello, tal vez podamos administrar alguna radiación o quimioterapia para prolongar la vida de su hijo.

—Haga cualquier cosa que crea...

—Por favor, entiendan lo siguiente. Si Christopher entra al salón de operaciones, seguirá vivo, pero es probable que no tendrá lo que llamo una existencia de calidad. Sin embargo, ustedes parecen estar dispuestos a cualquier cosa. ¿Es eso lo que me dicen? ¿Es eso lo que están deseando? ¿Cualquier tipo de existencia?

—Sí, queremos que intente cualquier cosa —dijo Neil—. Porque sabemos que cuando usted lo lleve a la sala de operaciones, Dios lo usará para devolverle la salud al niño.

—Bajo esas condiciones y esperando de antemano los peores resultados posibles... voy a hacer la biopsia.

No me sentía optimista. Quería hacer algo para convencerlos de que volvieran a su hogar y se dieran por satisfechos. Uno o dos días después llevé a Christopher al salón de operaciones. Al levantar el cerebelo, para llegar al área del tronco cerebral, no vi otra cosa que una horrible lesión gris de aspecto maligno. Tomé una muestra, lo que llamamos un corte para congelar, y la envié al laboratorio. A los pocos minutos, el patólogo nos dio un informe preliminar de un astrocitoma de alto grado (un tumor cerebral sumamente maligno).

—Ya que estamos aquí —le dije al equipo de cirujanos— saquemos todo lo que podamos.

Comencé a extraer el tumor. Después de un tiempo comencé a ver numerosas vías estructurales, nervios craneales y gruesos vasos sanguíneos.

—Es tiempo de parar —señalé.

Si continuaba, el peligro era que podría dañar fibras normales del tronco cerebral, que más tarde empeoraría a Christopher, que ya estaba en una condición tan penosa como para aumentar sus dificultades.

Después de cerrar fui de inmediato a los Pylant. Me sentía triste e incómodo. Repetí lo que algunos llamarían las consabidas trivialidades. Básicamente no sabía qué más decir. Estaban muy seguros de que iba a poder extraer el tumor.

Después de explicar lo que había encontrado dije:

—Miren, no entiendo por qué su hijo tiene este terrible mal. No se lo pude extraer. Tal vez su hijo ya ha cumplido su propósito en la vida. Sólo Dios sabe el comienzo y el final. Tal vez no debieran preguntarse la razón de estas cosas.

—Gracias, doctor Carson. Sé que es sincero —dijo Neil— pero también sé que el Señor va a sanar a nuestro hijo. Sencillamente lo sé.

—Su fe es admirable —dije, casi sin poder creer que pudieran seguir declarando con tanta seguridad que Dios iba a sanar al niño. Ni un atisbo de duda pasaba por su rostro.

Son unos fanáticos religiosos, pensé cuando me iba. *Sencillamente no entienden, pero supongo que pronto se darán cuenta.* Como están las cosas, supongo que Christopher seguirá deteriorándose y es probable que muera en el hospital.

En lugar de ello, Christopher comenzó a mejorar y el más sorprendido era yo. Su nivel de atención aumentó. Ambos ojos comenzaron a enfocar en la misma dirección. Desaparecieron las dificultades con las secreciones, comenzó a moverse más en la cama.

¿Qué está pasando aquí?, me pregunté. Al día siguiente no podía creer la tremenda diferencia en el estado del niño. Me volví a la enfermera y le dije:

—Vamos a hacer otro rastreo.

Hicimos otro rastreo TAC y RNM. Todavía podía verse una buena cantidad del horrible tumor en el área del tronco cerebral. Sin embargo, al inspeccionar con más detalle, vi un pequeño borde de tejido en una de las esquinas. ¿Será posible —me pregunté— que el tronco cerebral esté ahí arriba? ¿Podría ser que el tumor esté *fuera*? ¿Qué es lo que está aprisionando y empujando el tronco cerebral hacia arriba?

Antes de la cirugía el tumor era tan grande que ni siquiera había podido ver el tronco cerebral. *¿Será posible que el tumor haya comenzado a retroceder para que pueda ver el tronco cerebral?* Conocía la única manera de averiguarlo.

—Será mejor que volvamos a abrir —dije a los padres.

—Alabado sea el Señor— dijo Neil con tanta suavidad que tuve que esforzarme para escucharlo.

—Oh, gracias, gracias —dijo Carol y sus ojos se llenaron de lágrimas.

De nuevo en el salón de operaciones, animado por la confianza de que había un borde de tronco cerebral, comencé a extraer el tejido tumoral. Encontré bolsas y bolsas de esa masa. Se había metido en toda cavidad y grieta posible. Eventualmente pude ver la franja del tronco cerebral.

—¡Ahí está! —dije en voz alta. Para mi alegría descubrí que era realmente el tronco cerebral lo que había visto y estaba intacto. Se había aplanado prácticamente del todo, pero una vez que extraje el tumor, ocupó el área correspondiente. Mientras seguí trabajando, apenas podía creer lo que había encontrado.

Durante las cinco semanas siguientes el muchacho continuó mejorando.

Mientras tanto el neurooncólogo y el radioterapista, por supuesto, también recibieron los informes patológicos del astrocitoma. Lógicamente informaron que era un tumor altamente maligno.

—Es evidente que tenemos que suministrar a este paciente radiación, o quimioterapia o ambas —me dijeron.

Se lo expliqué a Neil y a Carol agregando:

—Es el procedimiento médico normal...

—No —dijo Neil.

—Me opongo —dijo Carol.

—El Señor ha sanado a nuestro hijo. Christopher está sano y no necesita nada de eso.

—A esta altura estoy muy dispuesto a escucharlos —dije—. Como ustedes bien saben, nunca hubiera llegado a este punto si no hubiera sido por su insistencia...

—Exigencia —dijo Neil con una sonrisa.

Pocos días después, Christopher abandonó el hospital. Caminó hasta el automóvil, casi con la misma soltura que cualquier otro niño de cuatro años.[2]

Meses más tarde, uno de los médicos que trabajaba como neurooncólogo, me dijo:

—Tal vez no entiendas lo que me ha ocurrido, Ben. ¿Sabes? He sido ateo por mucho tiempo o tal vez simplemente no había sentido la necesidad de Dios. Pero el incidente de Christopher Pylant ha cambiado mi manera de pensar. La fe de esa gente y los resultados en ese niño, han hecho un profundo efecto en mí.

Sus palabras me impactaron, lo mismo que su honestidad para admitirlo.

—Entiendo el efecto profundo —le dije.

—Tiene que haber algo en la religión —dijo—. En realidad, más que eso. Honestamente, todo esto me ha hecho creyente.

*   *   *

Además de la historia especial de Christopher Pylant y de la apertura hacia Dios de mi colega, yo también había sido profundamente impresionado. Hasta ese momento me había considerado un médico cristiano. Oraba y asistía regularmente a la iglesia. Sin lugar a dudas Dios estaba en mi vida. Además de eso, tenía una formación buena en extremo, era bastante inteligente y me creía particularmente capaz. Todo eso convergía para hacerme pensar que, si había alguien que podía lograr algo, ese era yo. ¿Acaso no me había dicho mi

---

2 Hoy, seis años después, Christopher está neurológicamente normal.

madre muchas veces: «Bennie, tú puedes hacer lo mismo que ellos... ¡sólo que *tú* puedes hacerlo mejor!»?

Por medio de ese mensaje infantil de mi madre y gracias a mi formación, me sentía confiado, tal vez un poco engreído. Sin embargo, después de ese episodio con la familia Pylant veía las cosas de un modo diferente. Todavía sabía que estaba bien preparado y que era capaz, pero también tuve que admitir que Dios había jugado un papel muy grande en mi vida. De ahí en adelante tuve una abrumadora sensación de que, *si* se lo permitía, Dios jugaría un gran papel en mi carrera.

Aunque una experiencia como esa puede ser comprensible para muchos, para mí era una revelación. Era como si hubiera orado pidiendo la ayuda de Dios pero o no la esperaba o no la aprecié cuando estaba obrando, o inconscientemente negaba la intervención de Dios.

La mayoría de los casos significativos, sobre los que escribí en *Gifted Hands* [Manos dotadas], ocurrieron después del caso Pylant. Por ejemplo, en 1985 conocí a Miranda Francisco, de cabello castaño, que sufría hasta cien ataques por día. Ella tenía cuatro años de edad.

El doctor John Freedman, director de neurología pediátrica del Hopkins, y yo, estábamos discutiendo acerca de una hemisferectomía, un procedimiento quirúrgico para extraer la mitad del cerebro. Aunque había sido un procedimiento pionero décadas atrás, ya se había abandonado. Sabiendo que ciertamente moriría si no hacíamos la cirugía, decidimos seguir adelante y hacerla. Miranda soportó la cirugía y se recuperó. Por medio de un proceso llamado *plasticidad*, la mitad restante del cerebro ha suplido las funciones de la porción faltante.

En 1986 hice la cirugía intrauterina de los mellizos Kyle. Por supuesto, la más conocida fue la de la separación de los mellizos Binder, los siameses unidos en la parte posterior de la cabeza.

Se ha hecho sumamente claro para mí que el Señor me estaba permitiendo saber, por medio de la experiencia de Christopher Pylant, que Él está conmigo, disponible para cuando lo busque.

Lo he hecho con mucha más frecuencia a partir de esa experiencia.

OCHO

Asumir riesgos

*Que las almas jóvenes no pasen al olvido
antes de realizar hechos bellos
y desplegar plenamente su dignidad[...]*

Vachel Lindsay

*A*lgunas *veces* implica riesgos *dar* lo mejor y pensar en grande. Esto es muy cierto en mi campo. Para mí esto significa hacer lo que sé que está bien, aun cuando no tengo seguridad de los resultados. Hago lo que algunos consideran cosas arriesgadas, porque mis acciones le dan a la persona que está muriendo, al menos una posibilidad de vivir.

En este capítulo quiero describir a tres individuos cuyos casos eran de alto riesgo, de ahí que fueran controvertidos. Pero en quienes, de todos modos, realizamos la cirugía.

Primero, el caso de un niño llamado Dusty Phillips.

En 1985 Dusty llegó a nosotros, desde el oeste del estado de Virginia, con lo que llamamos un «tumor neuroectodérmico primitivo». Es decir, un tumor altamente maligno en un hemisferio del cerebro. Esos tumores, por lo general fatales, tienen un crecimiento rápido en extremo.

Los neurocirujanos del oeste de Virginia, que habían hecho la biopsia del tumor, sometieron al niño a unas pocas sesiones de quimioterapia pero el tumor seguía desarrollándose. En este tipo de situación, cuando se ha efectuado una biopsia o una extracción parcial, y el tumor se ha catalogado como una lesión maligna agresiva, los médicos lo tratan con quimioterapia. Si el tumor no disminuye, por lo general los médicos se ven obligados a decir: «Hemos hecho todo lo posible. Lo mejor es que pongan cómodo al paciente».

111

«Pongan cómodo al paciente» significa, por supuesto, que esperan que la persona muera pronto. Han agotado todo lo que saben para revertir la situación, pero nada ha dado resultado. El único otro consejo que dieron en el caso de Dusty, sin brindar mucha esperanza, fue: «Prueben el Johns Hopkins. Si hay algo que se puede hacer, son ellos los que deben saberlo. Están haciendo algunas cirugías innovadoras allí».

Era la palabra de esperanza que los padres necesitaban. Trajeron al niño a nuestra clínica. Al evaluar a Dusty Phillips estuve de acuerdo con el diagnóstico de sus médicos de Virginia.

—Sin embargo —les dije—, hay una pequeña posibilidad para su hijo. No muy grande, pero...

—Por favor, doctor Carson —dijo Peter Phillips, el padre del niño—. Si puede hacer algo para ayudarlo, pruébelo.

Por largo tiempo hablé tranquilamente con los padres, no queriendo provocar falsas esperanzas. Al explicarles lo que podría hacer quería que tuvieran en claro que estaríamos asumiendo riesgos quirúrgicos importantes.

—Voy a intentar una gran resección del tumor maligno.

Por entonces Dusty tenía casi un año. Cuanto más esperáramos, peor sería el riesgo. Antes de que tomaran la decisión les dije:

—El riesgo de una hemorragia grave, o incluso fatal, es grande. También tenemos que enfrentar la posibilidad de una infección, en el caso de Dusty en especial. Ya ha sido debilitado por la quimioterapia y no podría hacerle frente a una infección seria. También tienen que pensar en el riesgo de un deterioro neurológico.

—¿Qué significa eso? —preguntó la señora Phillips.

—Parálisis. Existe una gran posibilidad de parálisis parcial o incluso total. Y hay algo más: la posibilidad de perturbaciones sensoriales. Ya saben, Dusty podría terminar con serias perturbaciones visuales o cambios en su personalidad. Incluso podría caer en coma.

—Queremos hacer todo lo posible —dijo el esposo confundido, preocupado y queriendo lo mejor para su hijo.

—Pero, ¿qué ocurrirá si no hacemos algo? ¿Si no corremos el riesgo? —me preguntó la señora Phillips mirándome a los ojos.

Cuando ella habló recordé con mucha claridad al Dr. Taren y sus palabras. Aquellas que había escuchado muchos años antes. Casi podía oírlo decir: «Claro, es un procedimiento peligroso, pero piensen en qué alternativa tendríamos si no hacemos algo». Al mirarla repetí esas palabras. El esposo asintió lentamente.

—Entonces hágalo —me dijo la señora Phillips.

La extensa lesión de Dusty abarcaba una buena parte del hemisferio. Para entonces había practicado varias hemisferectomías y sentía que debíamos realizar una parcial (la extracción de poco menos que la mitad del cerebro). Pocos cirujanos han intentado este procedimiento llamado radical. Sabía eso, pero había tenido éxito antes. Aunque había realizado esas cirugías sólo unas pocas veces, no había tenido fracasos. Mi idea era extraer, de algún modo, todas las partes del cerebro afectadas por el tumor.

Eso es lo que hice, incluyendo la extracción de la duramadre, (la membrana que envuelve el cerebro). Posterior a esto, el oncólogo sometió al niño a otra sesión de quimioterapia utilizando una combinación de medicamentos que nuestro grupo había determinado. El tumor nunca volvió a aparecer.

Han pasado cinco años y Dusty está normal. También se encuentra neurológicamente intacto y no hay atisbos de tumores.

Con Dusty corrimos riesgos, cosa que expliqué por adelantado a sus padres. Dimos lo mejor y los riesgos no fueron en vano. Los resultados nos estimularon tanto, que la próxima vez que vimos un niño en las mismas condiciones pudimos dar el consentimiento a la operación. La realizamos sin duda alguna, porque habíamos adquirido la confianza suficiente. Podíamos usar el mismo conocimiento y la experiencia que habíamos obtenido de la resección radical en el cerebro de Dusty.

*   *   *

En segundo lugar, se encuentra la historia de David Troutman. Lo incluyo como un ejemplo de pensar en grande y dar lo mejor, porque los profesionales médicos no estaban dispuestos a renunciar. Todos los implicados estábamos decididos a correr cualquier riesgo que fuera necesario. El cirujano que primero había trabajado con él y el neurooncólogo, siguieron intentando. Los tres sabíamos que el niño enfrentaba la peor prognosis posible. A pesar de la condición deteriorada de David, él también estaba determinado a luchar por su vida. Tenía un tumor primario en el tronco cerebral.

Otro neurocirujano del Hopkins había hecho una biopsia y diagnosticado el tumor. Después sometió a David a radiaciones. Pasados dos años, como el tumor seguía creciendo, el neurocirujano implicado pasó a David a quimioterapia. Esperaba que al menos mantuviera al tumor bajo control. En 1988, David llegó al punto en que teníamos que aumentar continuamente la dosis de esteroides. La lesión (el tumor) parecía seguir creciendo.

Casi no sé cómo describir el aspecto de David Troutman cuando lo conocí en 1988. A los veintiún años estaba más envejecido que casi todos mis pacientes. Antes había sido activo, bastante bien parecido y trabajaba como mecánico. Todo eso había cambiado desde su diagnóstico en 1984. A causa de los esteroides, todo su cuerpo estaba hinchado y tenía que permanecer en una silla de ruedas.

Su médico y yo, junto con otros miembros del equipo de neurooncología, llegamos a la conclusión de que al parecer la lesión, que habíamos examinado muchas veces con el RNM,[1] estaba limitada. Se encontraba claramente ubicada en el tronco cerebral.

—¿Por qué no encaramos la situación? —pregunté después de completar nuestros exámenes y pruebas.

—Tú ya has tenido éxito con algunas operaciones en el tronco cerebral —dijo mi colega—. Los pacientes han sobrevivido, así que estoy de acuerdo.

---

[1] Una forma de explicar el tumor en el tronco cerebral es pensar en una mezcla de arena roja y azul. Cuando se mezclan, el color se dispersa, en este caso en el tronco cerebral. Nuestros exámenes indicaban que la arena azul y roja no se mezclaban hasta el punto de quedar difusos. Podíamos ver «márgenes» o áreas claras. Por lo general, a mi modo de pensar, cuando podemos ver esa separación vale la pena intentar la cirugía.

—Al menos hay una posibilidad de extraerlo sin destruir al paciente por completo —agregó alguien.

De modo que decidimos abrir. Como lo suponía, nos enfrentamos a una difícil cirugía.

Llegar al tronco cerebral de David no fue cosa sencilla. Los años de cicatrizaciones por las operaciones anteriores, los efectos de la quimioterapia y de la radiación, habían cambiado la consistencia del tejido. Lo habían convertido en algo duro y sanguinolento. Al cambiar de un plano al siguiente sentíamos bordes y márgenes claros en los tejidos. Explico esto, porque sería como cavar en un enorme balde de arena para rastrear municiones llenas de nitroglicerina. No se puede buscar descuidadamente, porque uno podría golpearlas y causar una explosión con daños irreparables.

David tuvo un curso postoperatorio tormentoso. En el sentido de que tuvo problemas con sus pulmones, brotes de neumonía en varias ocasiones, problemas con el funcionamiento de los intestinos, fiebres recurrentes e incluso complicaciones con las derivaciones que le habíamos colocado. Pero David nunca se dio por vencido. Su coraje nos inspiraba a todos los que estábamos involucrados en su caso.

Recuerdo un momento difícil en que un médico de otro servicio vino a ver a David. Tratando quizás de ser útil y no queriendo provocar falsas esperanzas le dijo:

—Nunca volverás a tragar. Es mejor que enfrentes el hecho de que siempre tendrás que ser alimentado por medio de un tubo en el estómago.

—Bueno, usted está equivocado —dijo David forzándose lo más que pudo con su voz totalmente debilitada—. Voy a volver a tragar. Y podré hacer todo lo que quiera.

De dónde obtuvo David su valor, no lo sé. Pero nunca dejó de creer en su propia recuperación. Su confianza nos estimulaba al resto del equipo a continuar. Sabíamos que no podíamos abandonarlo, mientras siguiera luchando.

David permaneció en el hospital cuatro meses. Me alegra informar que no sólo está tragando, sino también caminando.

Ha perdido la hinchazón y el peso resultantes de haber ingerido tantos estereoides. Habla con una voz firme. En general se encuentra marchando bastante bien.

«Nunca voy a renunciar», dijo varias veces. Yo sabía que hablaba en serio.

La historia de David Troutman saca a relucir parte de mi filosofía acerca de dar lo mejor de sí y de pensar en grande. Mientras una persona tiene la oportunidad de disfrutar una vida de calidad razonable, pero sigue deteriorándose a pesar de su tratamiento, vale la pena hacer todo lo posible para ayudarla. En estos casos creo que se debe intervenir con tratamientos radicales, aun cuando sean riesgosos. Después de todo, me veo a mí mismo, la alternativa es el continuo deterioro y al final la muerte.

Por supuesto, en el caso de David Troutman hubiera sido más fácil admitir la derrota, pero no podíamos aflojar. Tampoco debían hacerlo su propio médico y los demás neurocirujanos.

«Tenemos que intentar», dijo alguno de nosotros. Esa simple frase expresaba lo que todos sentíamos.

David estaba muriendo cuando llegó al Hopkins. Era nuestra oportunidad para ayudarlo. Si existe una oportunidad, no importa cuán pequeña sea, es cuando, según creo, debemos asumir los riesgos y hacer todo lo posible para mantener la mejor calidad de vida.

*   *   *

La tercera historia es acerca de una niña llamada Amber Kyle.

Mi compromiso comenzó con una llamada telefónica.

—Ben —dijo Phil Goldstein, un obstetra de Baltimore—, me gustaría tu consejo en este caso. Estamos atendiendo una paciente que espera niñas mellizas.

Entonces me explicó el problema:

—Por ultrasonido hemos diagnosticado que una de ellas tiene una cabeza que se está agrandando rápidamente por hidrocefalia.

Era el verano de 1986. Phil Goldstein dijo que la cabeza se estaba agrandando tan aprisa, que él y sus colegas temían que provocaría el trabajo de parto prematuro en la madre, antes que los bebés fueran capaces de vivir fuera del útero.

—¿Qué sugieres? —preguntó—. ¿Intervenimos?

—Sí —dije—. Es la única oportunidad que tenemos.

La forma en que podríamos evitar el trabajo de parto prematuro era realizar un procedimiento para aliviar la hidrocefalia, mientras los bebés estuvieran todavía en el útero. El problema era que los cirujanos no habían realizado, hasta la fecha, ese procedimiento quirúrgico. Aun así, calculaba que podía realizarse y Phil Goldstein estaba inclinado a pensar como yo.

Para obtener más antecedentes e información, hablamos a otro neurocirujano, Robert Broadner, quien por ese entonces trabajaba en Florida. Phil y yo sabíamos de la investigación que había hecho en ese campo cuando vivía en Filadelfia. Broadner había inventado un tipo especial de derivación, que implantó en ovejas y otros animales mientras se encontraban todavía en el útero. Aunque este procedimiento había resultado exitoso, nunca lo había probado en un ser humano.

Phil Goldstein y yo volamos a Florida para encontrarnos con Bob Broadner. Juntos decidimos una técnica que los tres nos sentíamos seguros de probar.

Al comienzo había pensado realizarla en el Hopkins. Sin embargo, como todavía se consideraba cirugía experimental, tendríamos que pasar un procedimiento muy largo para obtener permiso y en este caso no contábamos con tanto tiempo. Por fortuna, Phil Goldstein ya había estado trabajando con el comité de ética, diferentes comités en el Sinaí y en otro hospital de Baltimore, que ya sabían acerca del problema.

—¿Podríamos hacerlo en el Sinaí? —le pregunté.

—¿Por qué no? —respondió Phil—. Ya tenemos el equipo adecuado.

Para poder operar en el Sinaí tenía que conseguir un permiso especial para un procedimiento único y además lograr un seguro de parte del Johns Hopkins. Para ello hablé con Don Long, cosa que de todas maneras tenía que hacer. Reaccionó tal y como esperaba.

—¿Cómo lo justificas? —me abordó con una pregunta que en realidad era retórica, pero estaba preparado.

—Si no hacemos algo —respondí—, hay una gran probabilidad de que los dos bebés se pierdan. Pero, lo peor que puede ocurrir, si lo hacemos, es que sólo se pierda el bebé que reciba la punción *in utero*. Potencialmente significa que por lo menos el otro se salvaría.

Lo expliqué así de sencillo. Si Phil y yo no hacíamos algo, quizás ambos bebés morirían. Usando la derivación, al menos uno de ellos tendría la probabilidad de subsistir. Muy dentro de mí tenía la esperanza de que ambos bebés se salvaran.

—Los apoyo en todo el procedimiento —dijo Don reaccionando tal como lo había esperado—. Pienso que intervenir es un acto compasivo y beneficioso.

Don dijo esto, aun sabiendo, como yo, que era una situación controvertida. (El aspecto controvertido es que algunas personas creen sinceramente que es antiético hacer cirugía experimental en pacientes humanos y... esta era experimental.)

Todos los que estábamos involucrados en el intento de salvar a ambos bebés acordamos mantener la reserva acerca de lo que íbamos a realizar. Queríamos evitar provocar la presión de los medios de difusión. En secreto llevamos a cabo la derivación que había inventado el doctor Broadner.

Phil Goldstein insertó un tubo hueco largo, del mismo tipo que se usa para hacer la amniocentesis (el procedimiento que usan los obstetras para extraer el líquido amniótico que rodea al bebé en el útero de la madre). A continuación pasó otro tubo que tenía una serie de tubos más pequeños al ventrículo del bebé hidrocefálico. Usando el ultrasonido podíamos ver nuestras acciones en la pantalla de televisión.

Después, todos hicimos una pausa momentánea. Aquellos pocos segundos parecieron durar siglos. Por fin Phil dejó escapar un gran suspiro. Nos miramos unos a otros. En efecto, en la pantalla del monitor podíamos ver cómo disminuía el tamaño de la cabeza.

—¡Funciona! —dije a Phil—. ¡Funciona!

Sólo podía ver sus ojos por la máscara quirúrgica, pero aun así traslucían un triunfo gozoso.

Aunque estábamos emocionados, no queríamos dar a conocer nada a nadie. No queríamos que este suceso digno de una noticia trascendiera antes de que estuviéramos seguros que no habría contratiempos.

La madre no experimentó dificultades durante ni después del procedimiento. Al cabo de tres semanas decidimos que los pulmones de ambas niñas estaban lo suficientemente maduros.

Las sometimos a un estudio por sección-C. En ese momento descubrimos que no sólo la niña normal se movía muy bien, sino que también lo hacía la hidrocefálica y que además respondía neurológicamente de la forma debida. De inmediato coloqué una derivación standard en la melliza de nombre Amber.

El día del nacimiento de las mellizas, Phil y yo permitimos que el procedimiento llegara a la opinión pública. La sala se llenó de representantes de una amplia gama de periódicos y canales de televisión. Mi propia esposa, Candy, tuvo una agradable sorpresa cuando vio parte de la entrevista esa noche en las noticias de la CBS.

Desafortunadamente, el resultado exitoso no implicó que todo el mundo quedara satisfecho. Al día siguiente de la aparición de las noticias, las críticas comenzaron a caer como goteras. Aunque ambos bebés sobrevivieron, mucha gente no conocía los detalles. Los críticos nos acusaban de hacer cirugía experimental riesgosa. No todos estaban dispuestos a escuchar, a pesar de que intentamos dejar bien en claro que de no hacerse la intervención, uno de los bebés hubiera muerto.

Para colmo, poco tiempo antes de estos hechos, el *New England Journal of Medicine* había publicado un artículo advirtiendo en contra de tal procedimiento, llamándolo «altamente experimental». El artículo decía que la mayoría de los resultados experimentales habían sido desastrosos y que no estábamos preparados para ese tipo de prueba a esta altura de la ciencia médica.

De mis colegas del Johns Hopkins no recibí críticas. Para entonces ya había realizado por lo menos seis hemisferectomías. Habíamos tenido tanta cobertura periodística en relación a las hemisferectomías que la gente estaba bien predispuesta a que realizáramos procedimientos novedosos cuando sabíamos que podrían salvar vidas.

Meses más tarde, cuando ya era obvio que *ambas* criaturas andaban muy bien, los reporteros tuvieron la madurez como para revertir sus opiniones: «Bajo estas circunstancias», dijeron, «era lo correcto». Uno de los críticos incluso llegó a decir: «Seguro que hubiera hecho lo mismo bajo esas circunstancias».

Por supuesto que estoy contento de que los críticos nos hayan reinvindicado. Pero, con franqueza, su censura no significó demasiado para mí. *Nosotros* sabíamos que habíamos hecho lo correcto.

Esa es la parte importante de esta historia. No sólo dimos lo mejor —Phil, Bob y yo, lo mismo que todos los que trabajaron con nosotros— sino que también hicimos lo que creíamos correcto. No siempre es fácil realizar lo adecuado, cuando no resulta popular o no va a recibir la aprobación de todos. Pero estoy convencido de que si en realidad nos preocupamos por la gente, seguiremos adelante y nos arriesgaremos igual.

A modo de epílogo: Ambas niñas siguen perfectamente bien. Tuvimos que hacer otras cirugías en Amber (dos revisiones de la derivación). Tenía una cabeza muy grande, de modo que hicimos una reducción (craneoplastia) para disminuir el tamaño y darle mejor forma. A pesar de que Amber tiene ataques ocasionales, ahora es una hermosa niña de cuatro años y saludable.

NUEVE

Cuando no es suficiente

Si apunto al sol, puede que acierte a una estrella.
P.T. *Barnum*

A pesar de las dificultades que habían surgido y de las diez largas horas en el quirófano, la operación había salido bien. Esa noche llegué a casa exhausto. Alrededor de las dos de la madrugada sonó el teléfono.

—Pressman *estornudó*—me informó uno de los residentes.

—Oh, no —murmuré mientras colgaba el auricular y me vestía.

Atender el caso de Robert Pressman,[1] un enfermero de oncología del Johns Hopkins, resultó para mí una experiencia inapreciable, pero totalmente diferente a la que me hubiera imaginado.

Robert se enteró que tenía un tumor maligno en el seno paranasal, que se extendía hasta la base del cerebro. Un talentoso cirujano y un GNO (especialista en garganta, nariz y oído) del Hopkins, John Price, trabajaron conmigo en la realización de una resección cráneofacial. Por lo general, esta operación lleva de ocho a doce horas. Tuvimos que abrir la cara y la cabeza para llegar a uno de los tumores situado muy adentro de la base de esta última. Puedo explicar mejor lo que hicimos usando la figura de un candelabro. (En realidad le llamo operación candelabro.) Funciona como sigue: Si entrara en una casa antigua para quitar un enorme candelabro, primero me aseguraría de tener gente en la planta baja para recibirlo. Después haría cortes por encima de la instalación, para desconectarlo. Además tendría gente en el primer

---

[1] Para proteger la privacidad de las personas involucradas he cambiado los nombres.

piso conmigo para efectuar un corte alrededor de la instalación del candelabro. Una vez hecho eso, podría dejar todo el aparato a la gente de la planta baja.

Utilizando la analogía, un médico desprende el tumor de todo lo que lo une a la planta baja, mientras el neurocirujano, trabajando arriba, levanta el cerebro y desconecta el tumor de toda la base del cráneo, antes de dejarlo caer.

Después que Rob Pressman estornudó comenzó a decaer físicamente. «Parece desorientado mentalmente», había dicho el residente.

Antes de llegar de vuelta al hospital habían tomado radiografías. Los resultados mostraban una enorme cantidad de aire dentro del cráneo. Supusimos que al estornudar, Rob había soplado el aire hacia arriba y al interior del cráneo. Esto había provocado un hematoma difuso en el cerebro. Continuaba declinando.

Comenzamos a hacer todo cuanto podíamos para reducir la presión de la cavidad craneal y la cantidad de aire acumulada en ella, ya que, por lo normal, carece de aire en su interior. Este no sólo ocupaba el lugar, sino que al ser empujado a presión, estaba ejerciéndola en el cerebro y le había causado un hematoma al entrar. A lo largo de la semana siguiente, Robert siguió empeorando hasta que ya no respondía a las órdenes. Tuvimos que ponerle un tubo de oxígeno.

Ante esta eventualidad sus pupilas dejaron de reaccionar y perdió sus «ojos de muñeca». (Cuando se vuelve la cabeza de alguien, los ojos siguen el movimiento de la cabeza, eso es normal y lo llamamos «ojos de muñeca». Pero cuando los ojos se quedan fijos, es una mala señal.)

La situación era severa en extremo para Rob. A medida que continuaba su descenso, la mayoría de nosotros comprendía que su fin se acercaba. Discutí el pronóstico con su esposa, Dolores, que también es enfermera en el Hopkins.

Por su formación y experiencia en las unidades de terapia intensiva y neurocirugía, era poco lo que le podía decir a Dolores.

Me escuchó en silencio. Se quedó así durante unos momentos. Luego dijo:

—Entiendo.

—Lo lamento...

—Hace varios días que llegué a la conclusión de que no saldría adelante —afirmó Dolores—. Es un estado terminal.

Como enfermera profesional se negaba a dejar ver sus sentimientos. Continuamos hablando. Era obvio que ya había resuelto su dolor personal inmediato. Su mayor preocupación era cómo explicar esta tragedia a sus tres niños. Tenían casi la misma edad de mis tres hijos.

Al hablar, me preguntaba cómo hubiera manejado Candy una situación similar.

—¿Qué le parece? —preguntó Dolores interrumpiendo mis pensamientos—. ¿Convendría traer a los niños al hospital y permitirles ver a su papá en ese estado? ¿O sería mejor que lo recordaran como solía ser? ¿Cómo debo decirles que su papá no volverá más a casa?

Las preguntas salían una tras otra y pasamos largo tiempo discutiendo la situación. Por supuesto, la decisión era suya y en realidad no esperaba que la hiciera por ella. Creo que necesitaba hacer las preguntas en voz alta. Al final, Dolores decidió no traer los niños a terapia intensiva a ver a su padre.

Sea como fuere, Dolores manejó la situación muy bien. Hizo todas las preguntas prácticas y trató de tomar las decisiones más adecuadas. Se percibía su tensión, pero es una persona fuerte.

En contraste, me sentía terriblemente mal, aunque creo que nadie se percató de ello.

En primer lugar, aunque no conocía mucho a Rob antes de que se le manifestara la enfermedad, me agradaba. Su muerte sería una pérdida personal para mí. Más aún, me daba cuenta que durante el tratamiento y la operación había comenzado a identificarme fuertemente con él. Ambos teníamos la misma edad y éramos padres de tres niños. Su hijo mayor tenía ocho años, apenas dos más que el mayor de los míos.

En segundo lugar, la muerte de Rob tenía el extraño y deprimente efecto de hacerme pensar en mí mismo y en mi familia. También desencadenaba recuerdos de mi infancia, en especial cuando pensaba en cierto niño de ocho años.

Me invadía el penoso recuerdo de mi propia infancia. Tenía ocho años cuando mis padres se divorciaron. Fue entonces cuando tuve que admitir que mi padre no volvería a llegar a casa por las noches. Ya no disfrutaría de la alegría de correr calle abajo para recibirlo cuando venía de su trabajo. Ya no volvería a sentarme a su lado en el coche cuando conducía por las calles de Detroit. La soledad que había sentido de niño, por la falta de mi padre, volvía a ser real en mí.

Entonces me preguntaba: *¿Cómo se sentirían mis niños si alguien les anunciara que su papá no volvería más a casa? ¿Que no podría jugar más con ellos? ¿Ni leerles cuentos? ¿Ni llevarlos de paseo? ¿Cómo reaccionarían mis hijos si alguien les dijera: «Su papá nunca volverá»?*

Me quedé trabado en mi identificación con Rob y no podía sacudirme los poderosos sentimientos que eso me despertaba. Aunque el resto del equipo no sabía lo que me estaba ocurriendo, aparentemente tenían la suficiente sensibilidad como para darse cuenta de lo preocupado que estaba con este caso. Intentaban apoyarme tanto como a Dolores.

Aquella tarde me las arreglé para organizar las cosas y así poder salir del hospital antes de que oscureciera. Necesitaba alejarme de allí para pensar y elaborar mis sentimientos. Al caminar hacia el estacionamiento, no podía extinguir la angustia que me provocaba pensar en lo que significaría para esos tres niños la muerte de Rob.

Me metí en el coche rumbo a casa, apenas consciente de la calle y de los demás vehículos que circulaban. «Señor, ¿hay algún último milagro que puedas hacer en todo esto? Las palabras se atropellaban en mis labios. «Esos pobres niños y Dolores. ¡Oh, Dios, por favor haz algo!»

Al alejarme de Baltimore, mis ojos recorrían los campos al costado de la ruta. Recordaba que apenas unos meses antes, Rob y Dolores habían comprado una hermosa extensión de tierra y por la época del diagnóstico de Rob tenían todo preparado para comenzar a construir su casa allí. Ahora todo se venía abajo.

Mientras seguía conduciendo, no podía imaginar esos niños andando por la vida sin su padre. ¿Y qué de la pérdida para Dolores? ¿Tendría que luchar, como lo había hecho mi propia madre, trabajando en más de un empleo? ¿Acaso sus hijos tendrían que ver su rostro preocupado y su cansado cuerpo cada noche cuando volviera a casa?

«Por favor, Señor, por favor, no permitas que ocurra esta tragedia».

Era algo tan extraño. Para colmo de males habíamos podido extraer todo el tumor. Desde el punto de vista quirúrgico, la operación había sido un éxito. Si sólo no hubiera estornudado...

«No», dije en voz alta, «sí estornudó. Su estado es... terminal». Odiaba el sonido de esa palabra.

Al día siguiente tenía que viajar a Atlanta para dar el discurso de clausura en la Escuela Médica Morehouse. Aunque intentaba concentrarme en los preparativos de último momento para mi discurso, Rob, Dolores y sus hijos continuaban pasando por mi mente.

Señor, necesito un estímulo, recuerdo haber orado. *Puedes hacer maravillas en este momento. Tienes que sacar a Rob de esta situación de alguna manera.* No sé si en realidad creía que Dios haría algo o no. Pero sí sabía que tenía que pedir.

Justo antes de salir del hospital camino al aeropuerto, me llamó una enfermera.

—Ben, ¿puede hablar con los abuelos? Quieren verlo.

—No puedo —dije—. Tengo que alcanzar el avión. Si demoro cinco minutos más no llegaré a tiempo.

Era cierto. Pero además no creía poder enfrentarlos y hablar de Robert todavía. Me sentía tan embotado emocionalmente, que quizás fueran ellos quienes tuvieran que consolarme a mí.

Los abuelos necesitaban escuchar a alguien con autoridad médica para sentir un poco de consuelo, pero yo sencillamente no disponía de tiempo. En efecto, la llamada telefónica me había perturbado y salí unos minutos más tarde de lo que había planeado. Tuve que correr para llegar al avión. Al ir de prisa al aeropuerto se agregó el tener que enfrentar el sentimiento de culpa.

De alguna manera, logré pasar el fin de semana incluyendo el discurso. Cuando regresé a Baltimore, Rob seguía pasando por mi mente. Antes de volver a casa, me di una escapada a la unidad de terapia intensiva. Entré al cubículo y observé que no parecía haber cambiado en lo más mínimo. Seguía con el respirador. No se veían movimientos y tenía los ojos cerrados. Con el corazón por el piso comencé a examinarlo. Le toqué el pecho. Fue entonces que levantó la mano y tocó la mía. Observé su mano.

—Ese fue un movimiento voluntario —dije a la enfermera que estaba parada detrás de mí. Mi voz sonaba calmada, pero el corazón me latía a toda velocidad. No lo podía creer.

Tomé mi linterna, le levanté los párpados y le alumbré los ojos. Sus pupilas reaccionaron.

—¿Qué está pasando? —pregunté—. ¿Han visto eso?

Toqué suavemente a Rob y su mano se movió de nuevo hacia mí. En ese momento me volví y me vi flanqueado por la mitad del equipo de la UTI.

—Rob se movió. Movió su mano hacia mí.

—Lo sabemos —dijo la enfermera sonriendo y sin poder contener su alegría—. Comenzó a despertarse anoche.

—¿Me hablas en serio? Nadie me dijo nada...

—Sabíamos lo afectado que usted estaba —respondió—. Todos queríamos ver su reacción cuando llegara.

Ese fue el comienzo de una rápida recuperación. En dos días, Rob ya no necesitaba el respirador. Pronto estuvo hablando y caminando. Sus niños vinieron a verlo y yo experimenté un gozo profundo, me produjo paz verlo jugar con ellos. Para un padre, no hay nada más lindo que interactuar con sus pequeños.

Rob se recuperó por completo.

Unos días después, una de las enfermeras se me acercó.

—Dr. Carson, hay otro enfermo aquí que es probable que muera. ¿Podría poner sus manos sobre él, por favor? —Era evidente que no lo decía en serio del todo.

—Mira —dije sacudiendo la cabeza—, no soy quien realiza estas cosas. Dios las hace y puede seguir haciéndolas sin mí. Si Él va a hacer un milagro, con seguridad no necesita de mí para ejecutarlo.

Realmente lo creía entonces. Y lo sigo creyendo.

*   *   *

Pocos días después que Rob volvió a su hogar hubo un desenlace interesante. Desde que ingresé al campo de la medicina he conocido médicos que tienen dificultad para enfrentar las situaciones que carecen de respuesta. Con frecuencia terminan admitiendo: «Bueno, tiene que haber alguna explicación, lo que ocurre es que no la conocemos».

Uno de los neurólogos, un hombre particularmente brillante que no se manifestaba como un creyente en Dios, estuvo pensando en este asunto de Rob durante varios días. Hacía pregunta tras pregunta, determinado a encontrar una respuesta. Ninguno de nosotros podía ofrecerle una explicación a la recuperación de Rob.

—Absolutamente ninguna —le dije.

—Lo sé, pero creo que al fin la he encontrado —dijo.

—¿Verdad?

—Sí. Es simple. Son las mitocondrias a nivel subcelular. Estas pueden entrar en shock.

(Es decir, algo de la energía, que produce partes de las células que constituyen el sistema nervioso, había comenzado a funcionar de nuevo a nivel normal. Básicamente, era como reducir las luces a un nivel bajo, sin apagarlas por completo.)

—Dime, ¿has visto algo así antes? —le pregunté después de escuchar su explicación.

—No, en realidad no, pero...

—Esto es un milagro —recalqué—. ¿Por qué no lo aceptas como lo que es? Los milagros no ocurren de manera más notoria que esto. Rob se había ido y ahora está de vuelta. Es la primera vez que veo un adulto caer en un nivel neurológico tan bajo y luego recuperarse.

—No necesitamos explicar los milagros —agregué para terminar—. Todo lo que debemos hacer es aceptarlos.

*   *   *

La historia de Rob Pressman, además de haber causado un tremendo impacto en mí mismo, me ayudó a discernir otro aspecto en cuanto a hacer lo mejor posible. Cuantas más veces repasaba mentalmente la situación, no encontraba nada en que hubiéramos fallado. Habíamos hecho lo mejor.

Cuando se ha realizado lo mejor, nos queda aprender que todavía necesitamos confiar en Dios. Lo mejor de nosotros, no importa lo bueno que sea, no será suficiente si dejamos a Dios fuera de la escena.

Hasta la fecha no tengo una explicación para la recuperación de Rob. Sin embargo, sí tengo una respuesta: Yo había orado. Otros también lo habían hecho. Cuando supimos que lo mejor de nosotros no era suficiente para sanar a Rob, Dios era sencillamente la única fuente alternativa de ayuda.

Gracias, Dios mío, por honrar lo mejor de nosotros dándonos un milagro.

Segunda parte

Puedes dar lo mejor de ti y pensar en grande

Ser de utilidad en el mundo es el único camino a la felicidad.

Hans Christian Andersen

DIEZ

Pensar en grande

La educación es la mejor provisión para la vejez.

Aristóteles

*P*iense positivamente.

«Usa la AMP» (actitud mental positiva). «Ten fe». «Eres lo que piensas». «Yo lo hice, tú también puedes». ¿Acaso no se nos ha bombardeado con estas consignas durante años? Aunque las hemos escuchado con frecuencia, no por eso son menos ciertas. Ni tampoco más reales.

Cada vez más, quienes estamos en el campo de la medicina, nos damos cuenta de que nuestra actitud es el indicador más fuerte en una posible recuperación, más que nuestro estado físico o nuestro pronóstico. Una visión positiva determina muchas variables.

Ningún otro paciente que haya tenido, dejó más en claro esta verdad que Tony.

Tony era un joven neoyorquino de ascendencia italiana. En 1985 se sometió a una operación inicial de un tumor maligno en el cerebro. Un año después, el tumor volvió. La familia de Tony lo trajo al Hopkins. Hice una cirugía radical para extraer la mayor parte del tumor que estaba creciendo de nuevo. Al comienzo anduvo muy bien, pero luego le volvió una infección. En consecuencia, tuve que extraer no sólo el resto del tumor, sino también parte de la tabla ósea. Para nuestra sorpresa, Tony anduvo sorprendentemente bien. Pronto estuvo de regreso a casa, totalmente activo. Incluso comenzó a conducir su automóvil nuevamente.

Desde el Hopkins seguimos su caso. Con franqueza, no podíamos entender cómo es que andaba tan bien, había

131

superado muchísimo las probabilidades estadísticas. Lo que sí habíamos observado era que tenía una fuerte actitud positiva, con frecuencia decía: «Voy a vencer esta cosa, ya lo verán».

Mientras pasaba todo esto, Tony tenía una novia que no se movía de su lado. Tenían planeado casarse. No sé por qué motivos, alrededor de un año después de la recuperación de Tony, su novia terminó con él.

Ese desenlace dejó a Tony tan abatido que perdió su espíritu optimista y entró en un estado de depresión. En pocas semanas el tumor había vuelto a crecer. Y Tony murió.

Mi propósito al relatar este incidente, es señalar el tremendo papel que juega nuestra actitud en nuestro bienestar y en nuestra capacidad para luchar contra las enfermedades. Pocos hoy en día cuestionarían que nuestro estado emocional afecta las hormonas de nuestro cuerpo. Las hormonas influyen significativamente en los glóbulos blancos y en la capacidad de nuestro cuerpo para luchar contra las enfermedades. En efecto, esto implica que tenemos una explicación científica para el hecho de que las personas que se deprimen mucho no logran recuperarse bien de las enfermedades.

Como lo expresa un Proverbio, «Porque cual es su pensamiento en su corazón, tal es él». También dice: «Buen remedio es el corazón alegre, pero el ánimo triste resta energías» (17.22, Versión Popular). Si pensamos desde una postura positiva, podemos influir en nuestra salud, en nuestra actitud mental y en la forma en que nos relacionamos con otros.

Claro que no estoy sugiriendo que andemos por ahí con la cara sonriente todo el tiempo y repitiéndonos setenta veces «pienso en forma positiva», tal como yo lo veo, la manera correcta de pensar se desarrolla a medida que maduramos. Si nos permitimos instalarnos mentalmente en las cosas negativas, las heridas, los malos tratos, seremos pensadores negativos.

Podemos elegir la manera en que pensamos. Cuando la gente se opone a palabras como «pensar positivamente», yo suelo decirles: «¡Entonces piense en grande!»

Pensar en grande implica ensanchar nuestro horizonte, buscar nuevas posibilidades para nuestra vida, estando abiertos a cualquier cosa que Dios nos pueda tener reservado para más adelante. Pensar en grande es otra forma de expresar uno de los dichos favoritos de mi madre: «Puedes hacer todo lo que ellos hacen, ¡pero puedes tratar de hacerlo mejor!» Eso es pensar en grande.

A lo largo de los años he instado a otros a dar lo mejor de sí, a buscar la excelencia y a pensar en grande. Un día estaba dándole tantas vueltas a estas dos palabras, que confeccioné con ellas un acróstico.[1] Aunque estas ocho letras de *Think Big* [Piense en grande], no expresan todos mis pensamientos o los organizan en un orden en particular, el acróstico me brinda la forma de exponer el éxito que he alcanzado en la vida y cómo dar lo mejor a otros.

T = TALENT [Talento]

H = HONEST [Honestidad]

I = INSIGHT [Perspicacia]

N = NICE [Bondad]

K = KNOWLEDGE [Conocimiento]

B = BOOKS [Lecturas]

I = IN-DEPTH KNOWLEDGE [Conocimientos profundos]

G = GOD [Dios]

Nótese que la primera palabra es **talento**.

*   *   *

«¿Quién... yo?» Así le he oído decir a mucha gente cuando hablo acerca del talento. «Oh, no. Dios me olvidó en el reparto».

Esto no es verdad. Todos tenemos talentos que en ocasiones no desarrollamos, a veces los ignoramos y que, sin embargo, usamos con frecuencia sin que nos demos cuenta de que son dones que nos vienen de Dios.

No es suficiente con tener habilidades. Debemos aprender a reconocerlas y a usarlas de manera adecuada. Sinceramente, como creo en esta parte integral de mi pensamiento, quiero enfatizar con claridad la importancia de pensar en grande.

---

1 **Nota del traductor:** Las palabras claves de este acróstico se extraen del título en inglés, *Think Big*. Estas constituyen conceptos básicos de algunos de los capítulos siguientes.

TALENTO

SI RECONOCES TUS TALENTOS, LOS USAS ADECUADAMENTE Y ELIGES UN CAMPO QUE LOS REQUIERA, ESTARÁS ENTRE LOS MEJORES EN TU CAMPO.

¿Significa esto que debieras ser un cirujano renombrado? ¿Un abogado? ¿Un actor? No necesariamente. Este principio manifiesta que Dios ha provisto a cada uno con algún tipo de habilidad. Si usamos esa habilidad para el bien, podemos ser excelentes en nuestro campo.

Por ejemplo, Shirley es correctora de manuscritos y tiene una habilidad extraordinaria para detectar los pequeños errores que muchos editores y lectores pasan por alto. Mi idea es que tener éxito consiste en luchar por la excelencia, no importa cual sea el trabajo. Shirley disfruta marcando errores o agregando o quitando signos de puntuación. Como es tan habilidosa en eso, ha tenido varias oportunidades para ascender en la editorial para la que trabaja. «No», dice. «Corregir manuscritos es lo que realizo mejor. Aquí quiero quedarme».

Pienso también en Bill Cosby, una persona inteligente en extremo, que tiene un doctorado en educación. Aunque no lo conozco personalmente, lo considero un hombre común que tiene una gran percepción acerca de lo que es chistoso. Creo que él también reconoce que tiene ese talento, la habilidad de encontrar el sentido del humor en las diversas situaciones. Aun cuando tiene preparación académica es como si hubiera decidido: «Esto es algo en lo que soy muy bueno. Voy a hacer una carrera con el humor». Obviamente, ha llegado a ser uno de los principales cómicos de nuestro país.

Admiro el hecho de que en medio de su fama, Cosby no se ha olvidado de las demás personas. Insiste en la necesidad de la educación, se ha involucrado en diversos programas educativos donando su tiempo y dinero para estimular a los jóvenes. No pretende que se conviertan en actores, sino que se desarrollen intelectualmente.

Mi principal queja contra la gente que se dedica a los deportes y al mundo del espectáculo, es que en su mayoría no buscan enfatizar el desarrollo intelectual. He escuchado entrevistas a muchos de ellos. El mensaje que a menudo surge es como sigue: «Yo lo he logrado de esta forma, tú también lo puedes hacer». Asimismo a veces tienen un aire de superioridad que implica: «Si fueras tan bueno como yo, también serías famoso».

Desafortunadamente difunden un mensaje falso. Cuando pensamos en alguien que ha llegado a ser una estrella de la Asociación Nacional de Baloncesto (ANB), estamos frente a una probabilidad de siete jóvenes de entre por lo menos un millón que logran entrar como principiantes en ella. Incluso, cuando lo logran, se trata de una carrera de duración media que no va más allá de los dos y medio a tres años y medio, la duración promedio de todos los deportes profesionales.

Me entristece ver el esfuerzo que ponen los jóvenes día y noche por lograr encestar la pelota, con la esperanza de entrar a la ANB. Lo que los astros de la Asociación no dicen es: «Sí, tengo mucho talento, pero sucede que también me tocó estar en el lugar adecuado en el momento adecuado. De alguna manera logré conectarme con la gente clave y he tenido una suerte increíble. Mucho de lo que ha ocurrido para llevarme a la fama, no tiene que ver con mi talento».

Una mayor cantidad de personas podría jugar en la Asociación, si estuvieran bajo las mismas circunstancias. Pero, ¿quién puede garantizar circunstancias de igual oportunidad en la vida? Sin embargo, podemos hacer algo significativo y positivo por nosotros mismos, desarrollando cada parte nuestra, en especial las habilidades intelectuales y los talentos que Dios nos ha dado. Esa es una manera en que también aprendemos a producir nuestras propias circunstancias.

Hace algunos meses leí el libro *Green Power* [Poder verde], una autobiografía publicada por un hombre de Birmingham, Alabama. Arthur (él prefiere A.G.) Gaston, que ahora tiene noventa años, reconoció su talento para los negocios cuando era muy joven. En la década de 1920, Gaston inició una compañía de seguros de sepelios para gente de color, porque había visto los tratos injustos para tanta gente pobre de color. A partir de un comienzo sin recursos ha llegado a ser uno de los multimillonarios de Norteamérica.

Cuando conocí a A.G. Gaston le pregunté:

—¿Cómo siendo un hombre de color llegó a ser tan rico en el Sur, en la época en que a una persona como usted se le privaba de toda oportunidad?

—No de todas las oportunidades —me contestó—. Esa es parte de mi filosofía. Primero vi una necesidad. Cuando sentí esa profunda preocupación que tiene la gente acerca de la forma en que irán a enterrarlos a ellos y a sus seres queridos, decidí hacer algo.

Gaston prometió a la gente que si firmaban y aceptaban pagarle veinticinco centavos por semana, su entierro estaría en buenas manos al momento de morir. Ese cuarto de dólar por semana no era gran cosa. Aunque algunas personas murieran antes de haber pagado lo suficiente, como es de esperar, otras pagaron de más. Entonces Gaston tomó los excedentes y los invirtió.

Con el tiempo, Gaston se dio cuenta que en Birmingham hacía falta un banco que hiciera préstamos a la gente de color, porque ninguno de los ya existentes daba préstamos si no era con un interés exorbitante. Usando la misma filosofía de: «Vi la necesidad y la atendí», puso manos a la obra y, después de conseguir el apoyo financiero de otros líderes de su raza, abrió un banco.

Este hombre de color, que vivía en Dixie, en una sociedad prejuiciada que no daba lugar a las minorías, ni intentaba alentarlas, demostró que el talento funciona. En *Green Power* [Poder verde], Gaston admite que ha amasado grandes sumas de dinero que le permitieron hacer casi cualquier cosa que quisiera e ir a casi cualquier lugar que se le ocurriera.

Gracias a que Gaston reconoció su habilidad, para hacer dinero, pudo decirme: «No fue una cuestión de poder blanco o negro, sino de poder verde».

Con eso quería decir que había usado el talento que Dios le dio para ganar dinero. Con esa riqueza ganada se abrieron más puertas, se crearon aun más oportunidades.

Cito la historia de Gaston por varios motivos:

1. *Nunca buscó excusas.* Como la mayoría de los jóvenes de su edad fácilmente hubiera podido sentir lástima de sí mismo, abandonarlo todo o ir a trabajar a una mina de carbón. En lugar de eso, se negó a someterse a las excusas para el fracaso.
2. *Gaston aceptó su talento y lo utilizó.* Como tenía la habilidad innata de amasar fortuna, decidió que nada ni nadie lo frenaría.
3. *Desarrolló su talento a la vez que ayudaba a los demás.* Aunque lo he puesto en tercer lugar, este punto es crucial.

Gaston no sólo procuraba acumular riqueza para sí mismo. Comenzó a moverse cuando vio las necesidades que lo rodeaban.

Cada vez que Gaston observaba a los que manejaban negocios inescrupulosos, aprovecharse de la pobre e ignorante gente de color en Alabama, no sólo se disgustaba, sino que se comprometía lo suficiente como para cambiar las condiciones. «Veía las necesidades y las atendía».

Si más de nosotros adoptáramos esa actitud, en lugar de valernos de excusas para no hacer algo, ¿quién sabe lo que podríamos lograr?

* * *

Cuando hablo a los jóvenes en especial, lo hago sobre el talento. Si tengo la oportunidad de una conversación cara a cara, o en un pequeño grupo, con frecuencia pregunto: «¿Cuál es tu talento?»

Lo he hecho con tanta frecuencia, que ahora puedo predecir casi a la perfección cómo responderán. Sus respuestas serán más o menos las siguientes:

— Puedo cantar.
— Puedo jugar fútbol.
— Soy bueno para los deportes.
— Toco un instrumento.

Tienden a pensar en términos de ser protagonistas. Por ejemplo: cantantes, superestrellas, jugadores populares. Rara vez escucho alguno que diga: «Soy bueno para las matemáticas» o «Soy un buen lector». Nunca hasta ahora me han contestado: «Puedo extraer conceptos difíciles de una página escrita» o «Soy bueno para la computación». Sin embargo, estas habilidades *son* talentos, dones que no todos poseen. Esos talentos nos hacen únicos a cada uno. Pueden impulsarnos a ver una necesidad y a hacer algo para satisfacerla.

Cuando la gente pone excusas (y escucho muchas cuando hablo acerca del talento y la motivación), es porque no se detienen a pensar que Dios nos ha dado, a todos, catorce mil millones de células y conexiones en nuestro cerebro. ¿Por qué nos iba dotar Dios de un sistema orgánico tan complejo, a menos que esperara que lo usáramos?

He logrado unas cuantas metas en mi propia vida. Pero soy la misma persona, con el mismo cerebro. Aquella que poseía la nulidad académica del quinto grado. Nadie me hizo un trasplante de cerebro para que pudiera llegar a ser el mejor de mi clase en el séptimo grado. No se me cruzó por el camino ninguna gran oportunidad.

¿Qué hizo la diferencia entre el quinto y el séptimo grado? Mi madre me inició a escalar la montaña. Me dijo, como lo había hecho muchas otras veces:

— «Ben, eres un chico inteligente. Quiero ver que utilices esa inteligencia».
— «Ben, puedes llegar a ser cualquier cosa que quieras en la vida si estás dispuesto a esforzarte».
— «Trabajo entre gente rica, gente educada. Observo cómo actúan y sé que puedes hacer lo mismo que ellos».
— «Bennie, puedes hacer todo lo que ellos hacen, pero debes tratar de hacerlo mejor».

Tal vez no todos pueden hacerlo mejor, no es cuestión de competir con otros. En esencia, es aceptar nuestras habilidades especiales como lo que son y luego desarrollarlas.

La mayoría de nosotros tenemos una amplia capacidad en algún área de nuestra vida. Cuando lo comprendemos, estamos empezando a descubrir nuestros talentos. No todos pueden hacer de todo. No todos pueden ser neurocirujanos. Por ejemplo, personas que no tienen buena coordinación, aunque sean muy inteligentes, no serían buenos neurocirujanos.

Algunas personas necesitan ver todo dispuesto en forma concreta, no pueden percibir modelos, no distinguen sombras ni diferencias. Esas personas no podrían ser buenos radiólogos, porque un radiólogo tiene que ser capaz de distinguir cambios sutiles. Conozco personas que no tienen la capacidad de expresar un buen argumento. Saben lo que quieren decir, pero no son capaces de ponerlo en palabras adecuadas. Si se mantienen firmes y logran al final decir lo que quieren, les lleva mucho tiempo y les exige mucho esfuerzo. Sin embargo, pueden ser talentosos en otro campo, como por ejemplo, la electrónica. No serían buenos para hacer una carrera en leyes, pero pueden llegar a ser excelentes reparadores de computadoras.

Cuando pienso en mí mismo y evalúo mis talentos, me doy cuenta que un talento especial que se me ha dado es la coordinación entre la vista y las manos, combinado con la habilidad para pensar en tres dimensiones. Ese don, junto con mi interés en el cerebro, me permitió determinar: «Tengo que ser neurocirujano».

Tal vez podría haber llegado a ser abogado o ingeniero, pero no creo que hubiera logrado sobresalir en esos campos de la manera que lo he hecho en la neurocirugía. No hubiera aprovechado mis talentos ni mis intereses. En otras palabras, para dar un ejemplo, cualquiera con un cerebro normal tiene la capacidad para ser casi cualquier cosa, pero cuando una persona tiene dones o talentos especiales (y *todos* los tienen), los aprovecha y desarrolla, con toda probabilidad esa persona se destacará. Por ejemplo, quizás Juan Sebastián Bach pudo haber sido médico, pero de haberlo sido es posible que no hubiera sacado el máximo provecho de sus talentos como músico y hoy en día no sería mundialmente reconocido. Todos tenemos que descubrir nuestros talentos y escoger carreras que nos permitan llevar al máximo esos talentos.

*   *   *

Un sencillo método sugiero para que la gente joven descubra sus talentos intelectuales. Aunque en realidad, no es sólo para ellos, ya que personas de cualquier edad pueden encontrarlo útil. Busque un lugar tranquilo donde pueda pensar, durante algunos minutos, sin ser interrumpido. Luego haga el siguiente ejercicio.

Ejercicio:

1. Hágase las preguntas que están a continuación. Conviene escribir las respuestas. Puede analizarlas y pensar en ellas en cualquier momento.

2. Al contestar, sea honesto pero también generoso. Ser bueno para algo no significa que haya que ser perfecto. Denota que se hace algo bien y así lo muestran los resultados.

Las preguntas conservan su validez incluso para aquellos que son los peores en la clase. *Todos podemos hacer algo.*

a. ¿En qué he sido bueno hasta ahora en mi vida?

b. ¿En qué materias de la escuela me ha ido bien?

c. ¿Por qué escogí esas materias?

d. ¿Qué cosas me gusta hacer que hayan provocado las alabanzas de otros?

e. ¿Qué cosa hago bien y disfruto haciéndola, aunque mis amigos lo vean como un trabajo o como una actividad aburrida?

3. Analícese usted mismo y su situación. Investigue las cosas lo más que pueda, en lugar de depender de pruebas o consejos de afuera.

Sin embargo, sé que algunas personas no son muy buenas para la autorreflexión y lo hacen mejor interactuando con otros. (De paso, parte del talento de personas centradas en la gente es que interactúan bien con otros.)

4. Ya sea que consiga resolver estas preguntas o que converse de ellas con otros, encuentre a alguien cuya opinión sea respetable. Tal vez sus padres. Un maestro. Su pastor. Un viejo amigo de la familia. Su mejor amigo.

5. Escriba lo que dicen de usted aquellos en quienes confía.

6. Compare esas ideas con lo que ha escrito sobre usted mismo. ¿Son similares las respuestas? ¿Qué ve ahora acerca de sí mismo que no haya pensado antes? Durante cuatro o cinco días, dedique un tiempo a pensar en estas respuestas.

* * *

Desafortunadamente, mucha gente no se da cuenta que casi nadie logra algo, a menos que haya dedicado tiempo a pensarlo y analizarlo. La mayoría no se detiene a analizar. Muchos ni siquiera saben cómo hacerlo. (Es probable que, aquellos que tienen problemas para autoanalizarse, necesiten alguien de confianza que los ayude.)

Quiero señalar un grave error que he notado, en especial entre las familias de clase media y media alta. Los padres que no han tenido éxito intentan manipular la vida de sus hijos y decidir su futuro en lugar de ellos. Lo mismo ocurre con familias que presionan a sus hijos a incursionar en áreas de estudio en la que ellos han tenido éxito, suponiendo que deben tener su misma ocupación. En ambos casos los padres presionan intentando encausar a sus hijos en carreras para las que tal vez no tengan talento.

No es fácil para las personas enfrentar esas presiones. De inmediato me viene a la mente mi amigo Hamilton Moses III, a quien llamamos Chip Moses. Su bisabuelo, su abuelo y su padre habían sido todos abogados formados en Harvard. Naturalmente, la familia esperaba que Chip también fuera un abogado egresado de Harvard. Chip asistió a la universidad de Harvard, pero se resistió al sistema. En lugar de estudiar leyes, eligió medicina y la familia no se mostró satisfecha con su elección.

Este hombre que se opuso a las expectativas familiares es hoy un médico muy talentoso. También «ocurre» que es el vicepresidente del Hospital Johns Hopkins. Chip se ha destacado en el campo de la medicina, porque reconoció que sus pericias estaban allí.

Chip es del tipo de persona que declara: «No me voy a dejar encausar por la presión de la historia o la familia. Me detendré a analizar y reconocer mis talentos, para luego usarlos adecuadamente».

Eso es lo que la gente debe hacer, no importa cuál sea su trasfondo socioeconómico. Para ser lo mejor en la vida, todos debemos detenernos, pensar (analizar) y utilizar los talentos que Dios nos ha dado.

Una vez que comenzamos a vivir una vida enriquecida, nos encontramos en mejores condiciones de dar lo mejor y permitir que otros también lo hagan.

*   *   *

A finales de la primavera de 1990 recibí una invitación para hablar a estudiantes de escuela media (grados séptimo a noveno), en el estado de Washington. Aunque la escuela no pertenecía a una reservación, muchos de los alumnos norteamericanos nativos que asistían a ella vivían en una. Otros venían de familias de obreros migratorios que estaban en el área para la época de las cosechas. Uno de los profesores, aunque estaba encantado de mi presencia allí, sintió la necesidad de advertirme acerca de lo que podía ocurrir:

—Dr. Carson, tenemos muchos casos de drogadictos en esta escuela.

—Lo mismo ocurre en muchas otras, de modo que...

—Pero también tenemos mucho crimen y violencia en la comunidad.

—Entiendo —dije.

—No se desilusione ni se disguste si su recepción no es lo que esperaba —dijo uno de los dirigentes de la escuela—. Dado el trasfondo que tienen, muchos de los estudiantes tal vez no estén interesados en lo que tenga para decirles. Pueden ser groseros...

—Peor que eso —interrumpió otro—. Pueden comenzar a arrojarle cosas.

—Y supongo que sabe sobre el crimen reciente —dijo el profesor.

—Sí —respondí—. Alguien me envió un recorte del periódico.

—Entonces sabe que no solamente lo asesinaron, sino que cortaron su cuerpo en pedazos.

—Sí, lo sé —afirmé. No me estaban ayudando a entusiasmarme con la charla. Era evidente que estaban tratando de prepararme para lo peor—. Estoy informado de todos esos asuntos.

Cuando llegó la hora de la asamblea, seguí al director de la escuela hasta el gimnasio. Todo el alumnado irrumpió en el salón llenando las gradas mientras se empujaban, embestían y gritaban unos a otros.

Era extraño... al observarlos, no sentí otra cosa que una pacífica confianza, quizás porque había orado antes de aceptar la invitación. Lo que es igualmente importante, tal vez porque sentía que tenía algo que darle a esos estudiantes.

Después que el director me presentó, me puse de pie y dirigí al estrado de madera. Sin lugar a dudas eran muy ruidosos. Más de una vez tuve que levantar la voz para hacerme oír. Luego comencé a contarles mi historia:

«En mi época del quinto grado, no tenía ningún competidor en mi puesto de peor alumno de la clase. Nadie me consideraba un gigante intelectual y mucho menos yo mismo. Siempre esperaba obtener la más baja calificación. Cuando había un concurso de ortografía era el primero en quedar descalificado. Suponía que nunca sabría el nombre de la capital de algún país, ni nada parecido».

Hice una pausa, consciente de que se había hecho el silencio en la audiencia. Les sonreí al recordar un incidente en la clase de matemática.

«Una vez saqué una D en una clase de matemática. ¿Saben lo que ocurrió? Mi maestro de matemática me felicitó: "Caramba, Bennie", dijo. "¡Es un gran adelanto!"

»Por si no lo saben, la D representaba una calificación pobre, pero era tan mal alumno, que *parecía* una buena calificación comparada con todas las F que siempre sacaba. Cuando terminó el semestre y nos entregaron las notas, tuve que mostrarle a mamá una larga lista de malas calificaciones con una sola D, como la calificación más alta.

»Mi madre, que no era una persona con estudios, comprendió que ella misma no podía hacer nada, pero sabía de alguien que sí podía. Oró, habló con Dios y le pidió sabiduría».

A pesar de todas las advertencias de parte de los profesores y el personal administrativo de la escuela, nunca he tenido una audiencia más atenta. Sabía que entendían, porque observaba sus rostros, en especial cuando les contaba otras historias acerca de mi vergüenza y autodesprecio por ser el peor de la clase.

«No sabía que podía haber algo mejor para mí».

Su atención absorta me indicaba que en su interior estaban pensando: «Eh, puedo identificarme con eso».

Siguieron escuchando cuando les conté cómo mi madre me obligó a leer dos libros por semana, cómo la escuela me había provisto de lentes para que pudiera ver mejor y cómo aparentemente había saltado del punto más bajo al más alto de la clase, de la noche a la mañana.

A continuación, les conté sobre mi educación y de que en la actualidad soy cirujano. Me daba cuenta que estaban pasmados cuando comencé a relatarles acerca de las hemisferectomías que realizaba, sobre la separación de los mellizos Binder y lo referente a determinadas operaciones de tumores cerebrales. Cuando hablaba de algunas situaciones desesperadas de la gente que llega a nuestro hospital, muchos de los estudiantes agachaban la cabeza.

Recuerdo especialmente haberles dicho:

«Es maravilloso poder contribuir a la restauración de la salud de alguien. No sólo es la sensación de que uno vale, sino de que uno tiene algo con qué contribuir».

Después de darles un panorama general, comencé a hablar acerca de la complejidad del cerebro humano, dándoles ejemplos de las funciones que puede desarrollar. Una vez más, el asombro se dibujaba en sus rostros.

Al terminar comencé a retirarme. Entonces vi que algunos de los alumnos mayores que estaban en las gradas superiores se ponían de pie. Comenzaron a aplaudir. En cuestión de segundos esa muchedumbre, antes torpe y alborotadora, me prodigó una ovación.

Al final, cuando el director los despidió, los estudiantes se amontonaban a mi alrededor haciendo preguntas, pidiendo autógrafos y suplicando permiso para tomarse una fotografía conmigo.

Estaba sorprendido y el personal de la escuela desconcertado.

Al pensar en aquella experiencia comprendí que la mayoría de ese personal suponía que, dado el trasfondo y el medio ambiente de esos estudiantes, aceptaban su pobreza y su desolado futuro. En base a sus bien intencionadas advertencias deduje que daban poco estímulo a los estudiantes, porque no pensaban que pudieran esperar ellos mismos algo más de lo que hasta entonces habían conocido.

Espero que mis impresiones hayan sido falsas. Espero que los líderes de la escuela pudieran ver un futuro prometedor en esos estudiantes y les hayan ofrecido alguna esperanza.

El hecho es que, no importa a qué grupo de personas me dirija, todos quieren y *necesitan* escuchar palabras de esperanza. Todos necesitamos que alguien nos diga: «Puedes hacerlo. Puedes lograrlo».

Cuando pienso en mi experiencia del quinto grado, veo que no me comportaba como si quisiera alcanzar algo. Quizás la mayoría de mis compañeros suponían que no me interesaba en nada. ¡Qué equivocados estaban!

El hecho de que las personas actúan a veces como si no les interesara llegar a algo en forma provocadora y violenta, surge de que en el fondo tienen miedo de lo que podría ocurrir si hacen la prueba. Le temen al fracaso. No tienen la perspectiva del éxito. *¿Qué más podemos esperar?*, se preguntan en silencio. Creo que esa aparente indiferencia sólo encubre sus verdaderos sentimientos. Eso era verdad en mi caso.

Con frecuencia me recuerdo a mí mismo, como lo hago con otros, que tenemos la responsabilidad de tomar a estos jóvenes bajo nuestras alas, para ayudarlos a descubrir que tienen dones intelectuales. *Venir de una minoría étnica o una clase socioeconómica baja, no tiene nada que ver con nuestras capacidades innatas.* Hay gente brillante (aunque carezcan de educación) que vive en las reservas indígenas y en campamentos de inmigrantes. Así como hay gente brillante que vive en Beverly Hills o Hyde Park.

A veces los jóvenes, en particular, tratan de adoptar una imagen de «macho» como sustituto a los logros académicos o intelectuales. Les resulta más fácil seguir el modelo de Rambo, Shaft y Terminator, porque los ven continuamente y porque requiere menos esfuerzo intelectual que imitar ejemplos como Kurt Schmoke (el alcalde del Rhodes Scholar de Baltimore), Enrico Fermi (el conocido físico) o Colin Powell.

*   *   *

En los pocos años que he practicado en el Johns Hopkins, he conocido a una gran cantidad de médicos residentes. Muchos son excelentes. Algunos dotados en extremo, como Art Wong, a quien mencioné antes.

En la actualidad tenemos un residente muy talentoso llamado Rafael Tamargo. Por ser español, Rafael viene de una minoría muy poco representada en el campo de la medicina. Es bastante bajo, delgado y habla con un acento evidentemente español. No sería difícil que se lo dejara de lado sólo por esas razones. Sin embargo, Rafael, además de ser una persona muy agradable es muy inteligente.

Se graduó de la escuela de medicina del Hospital Presbiteriano Columbia, de la Universidad de Columbia en Nueva York. Cuando todavía era estudiante de medicina, ya había realizado un notable trabajo de investigación. Más tarde lo admitimos en nuestro programa. Durante tres años Rafael trabajó en el laboratorio, recibió becas de la Asosiación Norteamericana para la Investigación de los Tumores Cerebrales y obtuvo reconocimientos por sus investigaciones en el tratamiento de los tumores cerebrales malignos.

Ahora, fuera del laboratorio, Rafael se ha convertido en un miembro favorito del equipo y de las enfermeras porque es muy cuidadoso en todo lo que hace. Algunos podrán llamarlo compulsivo porque insiste en que todo debe realizarse de una manera correcta. Si hay alguien que da lo mejor de sí, ése es Rafael.

No me cabe la menor duda que Rafael se quedará en el campo de la neurocirugía académica. Ya ha demostrado su talento al hacer contribuciones significativas al campo. Estoy orgulloso de ver a este hombre proveniente de una minoría racial, de la que mucha gente no espera que surjan grandes contribuciones intelectuales en un campo como la neurocirugía. Ha demostrado que estaban equivocados.

Para resumir: Si reconocemos nuestros talentos, los usamos adecuadamente y elegimos un campo en el cual utilizarlos, llegaremos a lo máximo.

ONCE

La honestidad no pasa inadvertida

Un hombre honesto es la obra más noble de Dios.

Robert Burns

Uno de mis compañeros en el curso preparatorio para la escuela de medicina en Yale, se graduó *magna cum laud*, un logro nada pequeño para cualquier escuela de la Ivy League. Sin embargo, sabía que había una carencia básica en su carácter: no era honesto. Este joven desobedecía notoriamente las reglas y disposiciones que, como estudiantes, habíamos prometido observar. Con frecuencia rompía les reglas del toque de queda y en la noche, a menudo llevaba mujeres a su cuarto cuando eso estaba prohibido.

Una gran cantidad de exámenes eran a libro cerrado, se basaban en nuestro código de honor. Muchas veces el profesor entregaba las preguntas y luego salía del aula. Durante esos exámenes veía a este compañero abriendo su libro, como también lo hacían otros estudiantes. Sin embargo, no parecía importarle que alguna persona de importancia lo notara.

Ya era bastante malo que actuara de una manera tan abiertamente desobediente, pero más lamentable todavía era el hecho de que no manifestara ningún signo de culpabilidad, actuaba como si fuera un juego.

Pero llegó el «día del juicio final». De todos los estudiantes del curso premédico de Yale, ¡él fue el único a quien no aceptaron en una escuela de medicina!

Es un extraño patrón de conducta, la forma en que la gente se engaña a sí misma, pensando que nadie desenmascarará

147

su deshonestidad, que pueden pasar inadvertidos en la multitud. Pero estoy convencido que así no podemos llegar lejos. No estoy seguro de que todos recibimos el pago que merecen cada uno de nuestros hechos deshonestos, pero sí estoy convencido que cosecharemos el fruto de nuestros esfuerzos.

Aquí hay otra forma de expresarlo:

> No os engañéis; Dios no puede ser burlado: pues todo lo que el hombre sembrare, eso también segará. Porque el que siembra para su carne, de la carne segará corrupción; mas el que siembra para el Espíritu, del Espíritu segará vida eterna (Gálatas 6.7-9).

Tal vez pensamos que no seremos desenmascarados o que podemos escondernos en la multitud, pero nos estamos engañando. Aunque todos cometemos errores y fracasamos en algún momento, mi compañero creyó que podía encubrir todo y no recibir ningún efecto negativo en su vida.

Estaba equivocado.

La mayoría de nosotros sabía la clase de persona que era. Para su evidente sorpresa, también los profesores lo sabían, lo que demuestra que cuando se desarrolla en nuestra vida un patrón de deshonestidad, a la larga sólo puede ser perjudicial.

En contraste, algunas personas son demasiado honestas. Pienso en mi tío, William Avery, como el hombre más honesto y franco que conozco. Escrupulosamente honesto y verdadero. Tío William sentía que siempre debía decir la verdad (algunas veces su percepción de la verdad pudo haber sido un tanto distorsionada, porque carecía de educación formal). Aunque no es una persona sofisticada, admiro mucho su agudo sentido de la honestidad. En un punto de su vida, cuando se inició en los negocios, comenzó con un sencillo plan de compra y venta. Su honestidad a veces jugaba en su contra. Cuando un posible comprador preguntaba:

—¿Cuánto pagó por esto? —siempre les daba una respuesta verdadera. Inevitablemente la persona diría entonces:

—Si sólo pagó esa cantidad, ¿por qué me cobra tanto?

—Supongo que tiene razón —decía entonces tío William. En su caso jugaba en su contra.

Aunque puede haber tenido poca sabiduría, se había comprometido a la absoluta honestidad. Debo destacar también que para un hombre sin educación formal y recursos económicos limitados, logró construir una hermosa casa, asegurar su bienestar y al final establecer un buen negocio. Además de eso, se dedicó a proveer para el cuidado de un hermano incapacitado. Creo que muchas de las buenas cosas que recibió tío William le llegaban porque obraba con honestidad.

Honestidad, un elemento absolutamente esencial del carácter si queremos vivir bajo el lema de pensar en grande.

HONESTIDAD

Con mucha frecuencia encuentro personas que creen que pueden salir adelante con «un poco» de indiscreción. Un poco lleva a mucho. Lo pequeño lleva a lo grande.

Consideremos los escándalos en Norteamérica durante los últimos veinte años. Si alguno de estos individuos hubiera sido honesto, su futuro hubiera sido diferente:

— Richard Nixon, que pasará a la historia como el único presidente norteamericano expulsado de la Casa Blanca.
— Jimmy Bakker, que estableció un ministerio religioso multimillonario por televisión, pero terminó con una sentencia de cuarenta años de prisión.

También podemos señalar al senador John Tower, quien negó ante el Congreso su adicción a la bebida y a las mujeres. Al precandidato presidencial Gary Hart, que fue sorprendido en conductas indignas de un senador de los Estados Unidos.

Estas personas iban demasiado apuradas. Una oscura noche los esqueletos que con cuidado habían escondido en un sórdido armario, aparecieron, los prendieron por el cuello y los estrangularon. Para resumir: eran deshonestos.

Si desde el primer momento hacemos una decisión consciente de ser honestos, decentes, limpios y no ponemos esqueletos en nuestros armarios, podemos concentrarnos en lo que estamos haciendo. No tendremos que preocuparnos por un golpe en la puerta en medio de la noche, una llamada telefónica o una conferencia de prensa que hable al mundo acerca de nuestras indiscreciones.

Cuando hablo a la gente joven, les digo: «Hablen la verdad. Si dicen la verdad siempre, no necesitarán preocuparse durante tres meses por alguna cosa que dijeron tres meses antes. La verdad es verdad siempre. No tendrán que complicarse la vida tratando de ocultar algo.

Hay cuatro puntos que quiero destacar en relación a la honestidad:

1. *Cuando actuamos con deshonestidad, nos engañamos a nosotros mismos.* Mi compañero en Yale lo descubrió, al menos espero que lo haya hecho.

2. *Si somos deshonestos, no lo podemos ocultar por mucho tiempo.* Sorprendentemente, la mayoría de nosotros tenemos una misteriosa habilidad para detectar a la gente deshonesta. Tal vez no contemos con evidencias o hechos concretos, pero sabemos que no son personas sinceras.

Por ejemplo, Sadam Hussein de Irak ilustra estos puntos. Deshonesto durante la crisis del Golfo, afirmó apenas unos días antes de invadir Kuwait, que no tenía intenciones de hacerlo. Las investigaciones posteriores revelaron que había estado separando para sí grandes cantidades de dinero de los ingresos por el petróleo del país. En consecuencia, sus manejos deshonestos descargaron el caos y la destrucción en su país.

Más aún, le resultó imposible seguir engañando al público, porque sus intenciones se hicieron claras una vez que inició sus agresiones militares, lo que le impidió esconder sus intenciones deshonestas. Por sus acciones, Hussein se colocó en una posición en la que ya nadie confía en él y en la que nadie está dispuesto a tratar con él de buena fe. En resumen, Sadam Hussein se ha *ganado* la desconfianza y el desprecio del mundo.

No importa lo conocidas o importantes que sean las personas, o lo poderosas que lleguen a ser, todavía pueden ser destruidas por la deshonestidad.

3. Las personas deshonestas reciben trato deshonesto de parte de otros. Tal vez hay una ley universal que dice que si engañamos a otros seremos defraudados por personas engañadoras.

O, para expresar la regla de oro por medio de un principio bíblico: «Así que, todas las cosas que queráis que los hombres hagan con vosotros, así también haced vosotros con ellos[...]» (Mateo 7.12).

4. Los pensadores honestos pueden pensar en grande. Los pensadores deshonestos tienen mente pequeña. Su deshonestidad puede adquirir la forma de grandes ideas o aparecer bajo conceptos revolucionarios, pero su deshonestidad los hace egocéntricos. Siendo honestos con nosotros mismos y con otros, nos movemos en el reino de pensar en grande, porque no sólo queremos cosas buenas para nosotros, sino también para los demás.

Al comentar sobre la honestidad pienso en una pareja que conocí en California, Cliff y Freddie Harris, quienes organizaron y todavía llevan adelante un programa llamado PAD (Programa Alternativo a la Droga).

Cliff había sido sentenciado a pasar varios años en prisión por una serie de crímenes, la mayoría de ellos provocados por su adicción a la heroína y a la cocaína. Un día Cliff se enfrentó a su vida violenta y llena de crímenes. Se volvió honesto consigo mismo y con la sociedad.

Ahora Cliff trata de ayudar a otros a desarrollar vidas rectas y honestas. Él y su esposa Freddie hablan a la gente joven a partir de su propia experiencia acerca de lo vacía y destructiva que puede ser la vida. En especial, acerca de la desesperanza y el dolor de vivir en un medio infestado de droga.

La característica que más me impresiona de Cliff es su absoluta honestidad. Algunos podrán llamarlo vulnerabilidad o exceso de franqueza. Como él mismo lo dice, Cliff no tiene nada que ocultar. Dice a todos los que lo escuchan lo que las drogas y el crimen hicieron en su vida. Una vez que se enfrentó a sí mismo, Cliff se comprometió en ayudar a otros a evitar los errores que había cometido. Se encuentra siempre dispuesto, para aquellos que ya están en la droga, a mostrarles la forma de salir.

Cuando hablé con Cliff recuerdo que dijo: «La gente sencillamente no está dispuesta a mirar sus problemas con honestidad y a admitir que tienen problemas».

Asistí a uno de los programas de los Harris y escuché el testimonio de un matrimonio. Dijeron: «Íbamos a la iglesia todas las semanas. Participábamos en todas las actividades, pero no bien llegábamos a casa, nos dirigíamos al dormitorio y comenzábamos a drogarnos a rienda suelta».

Describieron la destrucción que esto les trajo a sus vidas y en particular a su hija adolescente. Lo que había comenzado con una falta de disposición a enfrentar los problemas (deshonestidad), se convirtió en un monstruo demoniaco que controlaba sus vidas. Por fortuna, conocieron a Cliff y Freddie Harris. Al comienzo, los Harris tuvieron que presionarlos para que admitieran que tenían problemas que no podían resolver, problemas que estaban encubriendo con las drogas.

«No era simplemente una pequeña dificultad o un asunto provisorio. Las drogas *controlaban* nuestras vidas», dijo la esposa.

Por último, se comprometieron con el Programa Alternativo a la Droga y como consecuencia pudieron desprenderse de su mal hábito y volver a reconstruir a su familia.

Una vez que la pareja terminó de hablar, su hija se acercó llorando a la plataforma. Cuando por fin se calmó, contó que después de ver el estilo de vida hipócrita de sus padres y su dependencia de la droga: «Perdí todo el respeto por ellos. Me sentía abandonada, como si fuera huérfana». Luego sonrió y abrazó a sus padres. «Estoy muy contenta de tener a mis padres de nuevo».

En este caso, la clave para resolver el conflicto familiar fue la disposición a encarar con honestidad la situación, cualquiera que esta sea. Aunque todos cometemos errores en la vida, los problemas surgen cuando tratamos de esconderlos, de encubrirlos en lugar de aprender y permitir que otra gente aprenda de ellos. Tenemos que aprender a tratar honestamente con ellos.

Cuando nos enfrentamos al fracaso y a los errores, podemos dejarlos atrás y seguir adelante con nuestra vida.

HONESTIDAD

SI VIVIMOS BAJO LA REGLA DE LA HONESTIDAD
Y ACEPTAMOS NUESTROS PROBLEMAS,
PODEMOS SEGUIR ADELANTE EN EL CAMINO
DEL ÉXITO.

DOCE

Perspicacia

*Nadie puede hacernos sentir inferiores sin nuestro
permiso.*

Eleonor Roosevelt

Como lo he relatado antes, cuando era niño mi madre trabajaba en las casas de muchas familias pudientes, a veces en tres o cuatro seguidas. A causa de su falta de educación y preparación hacía trabajos domésticos y no calificados, como limpiar casas y cuidar bebés, ninguno de los cuales era considerado como un buen trabajo.

Sin embargo, mi madre consideraba cada empleo como una oportunidad más que como un trabajo. Había decidido que dondequiera que trabajara dijeran de ella: «Sonya Carson es la mejor empleada que hemos tenido».

Además de darles lo mejor de sí, mamá estaba constantemente tratando de descubrir cómo habían llegado a ser exitosas. También quería saber cómo vivían, después de haberlo logrado. Mientras hacía su trabajo, hacía preguntas y observaba lo que leían, cómo usaban su tiempo libre y el tipo de amigos y actividades que elegían.

Después de cierto tiempo obtuvo una valiosa *perspicacia*, el discernimiento de lo que hacía que la gente pudiente, entre quienes trabajaba, fuera diferente de la gente pobre entre la que vivía. Una cosa que advirtió de inmediato fue la actitud de esta gente hacia la televisión. Aunque poseían aparatos de T.V., a veces hasta cinco o seis, no los veían mucho. En lugar de eso pasaban buena parte de su tiempo leyendo y analizando materiales.

Mamá también obtuvo una mayor sagacidad observando cómo se vestían. No le llevó mucho tiempo darse cuenta

que elegían su ropa por su calidad, no porque fueran nove-
dosas, ni estuvieran a la moda, ni por su precio. «Uno recibe
de acuerdo a lo que paga», nos decía mamá. Había escuchado
a sus empleadores decir esas palabras y se daba cuenta de lo
que significaban. Con frecuencia pagan algo más por su ropa
de lo que suele hacerlo gente menos adinerada, pero les
duraba mucho más.

Pudo comprobarlo, en especial, durante los primeros
años luego de volver a Detroit. Mamá no podía adquirir
mucha ropa, pero eso no le impedía que la comprara duradera. No parecía sentirse incómoda al obtenerla en los negocios que vendían ropa usada, aunque yo sí sentía vergüenza
cuando me llevaba, por miedo a que mis amigos de la escuela
me vieran allí. Mamá aprendió a elegir ropa que destilaba
calidad. A veces tenía que hacer modificaciones en la máquina
de coser, pero cuando al fin nos la poníamos, teníamos ropa
de mucha mejor calidad que la mayoría de nuestros vecinos.

En la calle Deacon, donde vivíamos, no era raro que
algunas personas se compraran ropas caras (no necesariamente de calidad) en los negocios más llamativos. Pagaban
mucho, pero con frecuencia la ropa se gastaba al poco tiempo.

Gracias a la perspicacia de mi madre podíamos vivir con
un presupuesto muy bajo. Nadie en el vecindario sabía lo
pobres que éramos, porque mi madre no les hablaba nada
acerca de nuestras finanzas.

«Pueden preguntarse todo lo que quieran», nos dijo en
una oportunidad. Había aprendido a hacer rendir todo casi
el doble de su valor. En cambio, a nuestro alrededor sólo
veíamos derroche. Esta habilidad también traía su lado negativo, porque algunas de las familias que vivían cerca de
nosotros murmuraban cosas. Algunas estaban seguras de
que mamá vendía su cuerpo en algún lugar. Otros insinua-
ban que negociaba con drogas.

«¿De qué otra forma podrían vivir tan bien?», escuché
decir muchas veces. «Esa mujer está metida en algo, no cabe
duda».

A los cinco años de volver a Detroit, mamá se las arregló
tan bien que pudo comprar un automóvil nuevo. Seguía
siendo «sólo» una empleada doméstica.

—¿Cómo has podido hacer eso? —preguntó una vecina mientras admiraba el Chrysler de mamá.

—Fácil. Simplemente fui al negocio, pagué al contado y me dieron el coche —dijo mamá con su usual respuesta vaga. Ella no se dejaba intimidar por los vecinos.

Recuerdo haber escuchado decir a la misma mujer en otra ocasión:

—¿Ese es *otro* vestido nuevo?

—Claro —respondió mamá y siguió su camino. Se volvió a mí y agregó con una risita—: para mí sí que lo es.

Yo sabía que lo había comprado en los negocios de ropa usada y que después había pasado buena parte de la noche reformándolo.

He repetido estos detalles aquí porque admiro a mamá. Aunque no había tenido la oportunidad de terminar la escuela primaria, se casó cuando sólo tenía trece años y su esposo se la había llevado de su Tennessee natal a Detroit, mamá nunca permitió que eso la detuviera. Usó la capacidad que Dios le había dado. Para ella, en la época en que era prácticamente analfabeta, su perspicacia le vino de observar a otros, hacer preguntas y pensar en las respuestas.

* * *

Vale la pena agregar otro ejemplo de la perspicacia de mamá. Para cuando entré en el décimo curso había caído bajo la presión de los compañeros. Además de que mi trabajo escolar había ido en descenso casi durante un semestre, el principal resultado era sentirme obligado a tener el tipo de ropa que usaban los muchachos de mi edad. En esos días, el estilo popular era cualquier cosa italiana, en especial las camisas tejidas, los pantalones y las chaquetas de cuero y sombreros de ala corta.

Como todos los muchachos de mi grupo tenían estas cosas, yo también quería tenerlas.

—Por favor, mamá —recuerdo haber suplicado— por favor, cómprame sólo un conjunto. No me gusta estar diferente a mis amigos.

—Si en realidad son tus amigos, no les importará cómo estás vestido.

—Pero, mamá, no comprendes. Todo el mundo se viste así.

Nombraba cuatro o cinco de mis amigos que provenían de hogares más pobres que el nuestro. Aunque sus respuestas variaban, en definitiva decía:

—No tenemos el dinero necesario.

—Pero tengo que conseguir esas camisas de tejido italiano. Todos los demás las tienen.

—No somos como los demás.

—Pero son las cosas más importantes del mundo para mí —decía—. No quiero una cantidad. Sólo unas pocas... un conjunto.

Exasperada, mamá finalmente me decía que me quedara callado. Yo sabía que de nada serviría que siguiera hablando. Me enfurruñaba un poco, pero, al día siguiente, insistía.

Para la época en que andaba con la manía de la ropa, mis calificaciones habían bajado precipitadamente de excelente a bueno y enfilaban con rapidez hacia regular. La escuela no importaba tanto, la ropa adecuada, andar con esos amigos y jugar al baloncesto sí.

Un día me puse demasiado insistente, suplicándole a mamá por «sólo una de esas camisas de tejido italiano».

Mamá suspiró profundamente antes de decir:

—Benjamín, te diré una cosa. Te voy a hacer cargo del presupuesto. Pagarás la comida y te ocuparás de las cuentas. Puedes quedarte con lo que sobre. Traeré a casa todo el dinero y te lo entregaré.

—¡Muy bien! Ahora sí que entiendes.

—Pero antes tienes que hacer los pagos —dijo—. Cuentas el dinero que te doy y luego asignas la cantidad para nuestras necesidades básicas. Lo pones todo sobre la mesa en pilas y anotas para qué es. ¿Entiendes?

—¿Cuándo empiezo? ¡Ya estoy preparado!

—Comenzarás el lunes por la mañana. Recuerda, después que hayas pagado las cuentas, lo que quede puedes guardarlo. Quédate con cada centavo, cada moneda que sobre, vas al centro y te compras todas las camisas de tejido italiano que quieras.

Por fin había ganado. No más sermones. No necesitaba suplicar por unas camisas de tejido italiano y chaquetas de cuero. Las compraría yo mismo.

El lunes por la mañana, como lo había prometido, mamá me entregó todo el dinero que había ganado en la semana. A continuación me entregó una lista de gastos necesarios, como la comida, el combustible para el coche y las cuentas. Trabajé entusiasmado distribuyendo el dinero. Por supuesto, mucho antes de llegar a la ropa, me había quedado sin dinero.

—No queda nada de dinero —le dije mirándola. Me sentí realmente defraudado. Se había acabado el dinero y todavía no había separado para la cuenta del teléfono ni para los almuerzos.

—Así es, Bennie. Y tú sabes que no me he guardado nada. Es la misma cantidad que traigo todas las semanas.

—Lo sé —dije. Al mirarla por primera vez sentí vergüenza por mi insistencia en tener camisas italianas.

—Pero... ¿cómo te las arreglas? —pregunté.

—Sólo con la ayuda de Dios —respondió.

Ese fue para mí un momento de reflexión. Por primera vez en mi vida comprendí el verdadero significado de las dificultades por las que pasaba mamá. Cada vez que miraba el presupuesto y lo comparaba con lo que teníamos que pagar, me asombraba que mi madre nos hubiera podido mantener vivos a Curtis y a mí. Y lo hacía con tanta clase que nuestros vecinos estaban convencidos de que lo pasábamos económicamente bien.

—Debes ser una bruja de las finanzas —dije.

—Con la ayuda de Dios —dijo mientras reía—, ¡en realidad lo soy!

Nunca más volví a pedirle una camisa italiana.

Ese discernimiento que adquirí fue más allá todavía. Cuando descubrí todo lo que mamá hacía con tan poco, también comencé a pensar en otras cosas que me había venido diciendo desde que tenía memoria. Si ella era capaz de manejar así el presupuesto, tal vez alguna de las otras cosas que me decía también eran ciertas.

Una forma de considerar esta experiencia es señalar que mi madre obtuvo esta lucidez por medio de sus observaciones y experiencias en el mundo de su trabajo. Cuando aplicó esa perspicacia, se convirtió en sabiduría.

Esto sé con seguridad: La sabiduría de mamá me rescató de lo que podría haber sido otro desastre en mi vida.

* * *

Cuando pienso en lo que es la perspicacia, me gusta mencionar a mi amigo Walter Lomax, un médico de Filadelfia. Walter, un millonario que comenzó de la nada, tiene una larga lista de logros. Es dueño de siete clínicas. Sus cinco hijos, a quienes crió para que sean personas responsables y honestas, administran las clínicas ahora. En consecuencia, no tiene que preocuparse por la deshonestidad, el robo o los desfalcos. Contar con el apoyo de sus hijos es uno de los medios por los que ha podido ir tan lejos en tan poco tiempo. Más allá del fantástico trabajo que hace en sus clínicas y en el campo de la medicina, Walter tiene una sorprendente perspicacia en cuanto a la forma en que trabajan los negocios. Es consejero de muchos negocios y oficinas del gobierno, porque sencillamente parece saber lo que hace falta para atraer a las personas a un negocio, cómo tratar a los clientes y cómo hacerlos sentir importantes. Walter ha conseguido lo que muy pocas personas pueden hacer desde la práctica privada.

Combina sus virtudes, trabajador y capaz, creando algo como un discernimiento intuitivo, lo cual está bien, ya que esa es una cualidad necesaria para dar lo mejor de sí.

PERSPICACIA

Una forma de explicarla es mediante el trabajo de Herman Helmholtz. Hace cien años este sicólogo y médico alemán describió sus descubrimientos científicos diciendo que pasamos por tres etapas:

1. *Saturación*
   Etapa de investigación, averiguando todo lo que se puede aprender sobre el tema.
2. *Incubación*
   Etapa de reflexión, pensando y meditando sobre lo que se ha aprendido durante la investigación.

3. *Iluminación*
Helmholtz ponía fielmente toda su concentración en
la saturación y la incubación. Más tarde arribaba a
una solución *repentina.*

Años después un matemático francés, Henry Poincaré,
agregó una cuarta etapa a la que llamó *verificación.* Hoy en
día esta etapa sería la de demostrar, comprobar y asegurar la
exactitud de esa sagacidad lograda.

*   *   *

El discernimiento obra en muchas formas. No tiene por
qué ocurrir en un momento mágico, instantáneo. También
puede ser una cualidad que alimentamos y desarrollamos.
Como algunas personas se apoyan inconscientemente en sus
percepciones, a veces no tienen conciencia de tener perspicacia.

La percepción ocurre en ese momento en que exclama-
mos: «¡Ah!» o «¡Eureka!» (lo que literalmente significa «lo he
encontrado»). La percepción entra por muchas puertas como
cuando:

— escuchamos a aquellos que ya han tenido éxito y
pensamos que podemos hacer lo mismo.
— entendemos que el éxito no se les da sólo a unas
pocas personas selectas.
— sacamos provecho de las oportunidades para
aprender de cualquier fuente que pueda enseñarnos.
— aprendemos de los errores (lo mismo que del
éxito) de otros.

En los capítulos anteriores les he instado a mirarse a sí
mismos, a pensar en lo que han hecho bien en el pasado y
que consideren lo que les gusta hacer, todo eso forma parte
de las etapas de saturación e incubación, de las que después
puede surgir el discernimiento.

*   *   *

Los hechos que condujeron a la separación de los siameses Binder son un buen ejemplo de cómo se obtiene la perspicacia. Mucho antes de ese suceso, me había sentido fascinado por la cuestión de mellizos siameses unidos por la parte posterior de la cabeza y había dedicado mucho tiempo a leer acerca de los diversos intentos históricos de separar quirúrgicamente siameses de ese tipo.

Al estudiar los intentos pasados por separarlos (todos los cuales habían fallado), se me hizo claro que el principal problema era la *hemorragia*, es decir, perder sangre hasta morir. Luego de hablar con cirujanos cardiovasculares y leer sobre algunas de las técnicas que utilizaban, como la interrupción hipertérmica (en que se enfría el cuerpo hasta que el corazón se detiene y se bombea la sangre hacia afuera, momento en que operan el corazón), tuve una de esas experiencias del tipo «¡ah!» Un repentino pensamiento de que podríamos usar esa técnica combinada con una compleja cirujía craneofacial y reconstrucción vascular, para eliminar o reducir significativamente el riesgo del desangrado durante las partes más delicadas de esas operaciones, cruzó por mi mente.

En esa época no sabía nada de los siameses Binder. Sin embargo, era evidente que estos análisis jugaron un papel fundamental en el desarrollo de mi carrera cuando se presentó la oportunidad.

*   *   *

Para mí, la fuente más común e importante de discernimiento viene del libro de los Proverbios. Cualquiera que esté familiarizado con la historia de Salomón sabe que cometió muchos errores en su vida, especialmente de adulto. No obstante, estaba dispuesto a revelar a otros esos errores, al escribir sus proverbios. Prestando atención a sus palabras podemos evitar las mismas trampas.

Aunque sí creo en consultar y aprender de los expertos y los exitosos, la consulta no puede remplazar a la preparación personal. En mi opinión, la base de la preparación personal viene más de la lectura que de cualquier otra fuente. Que a algunas personas no les guste mucho leer, no es un argumento de peso. Cuanto más leemos, mejor leemos y más *disfrutamos* de la lectura. Nunca será demasiado lo que leamos y la mayoría de nosotros no leemos lo suficiente.

Luego de leer viene el paso crucial, la reflexión. Tenemos que pensar en lo que hemos leído. Hacemos elecciones, hacemos ciertas cosas porque las hemos pensado.

Para cualquiera de nosotros, que aspire a una mejor calidad de vida, hay cosas que podemos hacer. Tenemos la posibilidad de buscar a alguien que consideremos con éxito, que ya ha logrado algunas de las metas por las que estamos luchando, lo que es de singular importancia cuando observamos personas similares a nosotros.

Podemos hacerles preguntas como:

— ¿Qué lo llevó a ser lo que es ahora?
— ¿Quiénes son las personas que más lo ayudaron?
— ¿Quién o qué estuvo a punto de hacerlo retroceder?
— ¿Qué cosa hizo que ahora desearía no haber hecho?

También debemos reconocer que tenemos mentes tan valiosas como aquellos a quienes consideramos exitosos. Algunos ideales que los exitosos en la vida han logrado gracias a su perspicacia son:

— Decidieron (aunque no haya sido en forma premeditada) que utilizarían su capacidad y su mente para lograr lo que buscaban.
— Observaban y hacían preguntas.
— Encontraban la manera de trabajar más inteligentemente, inventando métodos más sencillos o limitando los esfuerzos inútiles.

Todos podemos aprender de los demás. En el peor de los casos, al menos podemos prepararnos para evitar repetir los errores. Con frecuencia, las personas que tienden a lograr pocas cosas son aquellas que necesitan cometer todos los errores por ellas mismas. Pasan tanto tiempo tratando de salir de sus problemas, que no tienen la energía, ni saben cómo seguir adelante en el juego de la vida. Tendremos una ventaja significativa si aprendemos a beneficiarnos de la experiencia de los demás.

En mis trabajos médicos, especialmente en los más polémicos como el de la cirujía de los mellizos Binder, he desarrollado el hábito de hacer cuatro cosas significativas:

1. Cuestionar la posibilidad, la importancia y la necesidad de cualquier experimento nuevo. Tengo que sentir que es una causa por la que vale la pena el tiempo y el esfuerzo requeridos.

2. Hablar extensamente con los neurocirujanos más experimentados. El Dr. Don Long es alguien a quien consulto con frecuencia. Aparte del hecho de que es el jefe de mi departamento, voy a él porque es un neurocirujano experimentado y en grado sumo capacitado.

3. Leer informes sobre las aventuras y desventuras neuroquirúrgicas. Esto implica consultar boletines y mantenerse al tanto de las últimas investigaciones.

4. Evaluar mis opiniones en base a la información obtenida, para ayudarme a tomar mi propia decisión.

Hubiera podido ensayar otra táctica y decirles a aquellos que quieren ayudar: «Por favor déjenme solo y permítanme hacer suficientes operaciones hasta que aprenda de mis propios errores. Después de eso sabré lo que debo hacer y lo que debo evitar». Desafortunadamente, muchos pacientes hubieran sufrido, incluso muerto, a causa de ese método de ensayo y error.

Además, no hubiera podido hacer tanto ni tan rápido, porque hubiera ignorado el trabajo de aquellos que empezaron antes que yo. Esta actitud vale para cualquier campo, no sólo para la medicina.

Puedo recordar mucha gente que aprendió automáticamente de otros y obtuvo discernimiento (que también significa *perspicacia*). Comprenden por qué algo anda o cómo funciona. En contraste hay quienes parecen que todo lo saben. Todos hemos conocido este tipo de personas sabelotodo en nuestra sociedad, quienes se consideran expertos infalibles, pero que en realidad saben muy poco.

Jim Smith es una persona comprensiva que conduce dos programas de televisión en Filadelfia. Cuando estuvo de visita en la región de Washington-Baltimore en 1985, me vio en una entrevista de TV en la que explicaba las hemisferectomías. Por ese entonces, apenas habíamos realizado un puñado de ellas, pero todas con éxito.

Como me dijo después Jim, estaba impresionado con lo que había visto y oído, y estaba fascinado con el concepto de poder extraer la mitad del cerebro humano para curar enfermedades intratables. Para Jim, la cirugía era algo desconcertante. Me invitó a ir a Filadelfia para que pudiera entrevistarme. Hicimos un par de programas de TV, pero nuestra relación no terminó allí.

Jim hizo los arreglos para que conociera a algunas personas del sistema educativo de Filadelfia y para que hablara a grupos numerosos de estudiantes con la intención de ayudarlos a pensar en grande. También hemos llegado a ser buenos amigos, con gran interés en nuestras respectivas carreras.

Jim Smith es un hombre con una curiosidad insaciable, también tiene una rara percepción para reconocer algo que beneficiará a otros. Entonces, utiliza su habilidad para integrar información en el ámbito de la conciencia pública. Para Jim las cirugías que yo realizaba no eran sólo lindos relatos de interés humano, acerca de personas a quienes se habían ayudado. Eran, como él las reconoció inmediatamente, cirugías que podían salvar vidas y en ocasiones conducían a innovaciones más significativas. Gracias a esa lúcida perspicacia, Jim daba a conocer de todas las maneras posibles, este sensacional avance médico, la hemisferectomía.

Jim Smith había logrado el discernimiento en muchos aspectos porque hacía las cosas adecuadas. Comenzaba haciendo preguntas. A continuación hablaba con alguien a quien consideraba una autoridad, en este caso era yo. Después de eso, investigaba, aprendía todo lo que podía y usaba esa información para despertar la conciencia pública de lo que estaba ocurriendo con las nuevas técnicas médicas.

Por medio de sus relaciones, Jim también me abrió las puertas para visitar diversos sistemas educativos, lo que me ponía en contacto con educadores de influencia y me dio la oportunidad de hablar a estudiantes acerca de las ideas que son importantes para mí.

*   *   *

La mayoría de la gente exitosa que conozco son, por naturaleza, observadores agudos o desarrollan esa habilidad. Si llevan a cabo investigaciones, saben qué deben mirar cuidadosamente. Reflexionan haciendo preguntas o tratando de predecir lo que podría ocurrir. Puedo aplicar este mismo principio a aquellos que trabajan directamente con personas. Cualquiera sea su área, aquellos que piensan en grande tienen esta cualidad en común: Observan el medio que los rodea, ya sea que se encuentre integrado por personas o cosas.

Esto es en realidad lo que llamamos el método científico que se basa en la observación. Al comienzo quienes lo usan tal vez no sepan nada, pero observan lo que ocurre en un proceso experimental. Lo escudriñan una y otra vez hasta que ven surgir interrelaciones. Después de un tiempo, comienzan a percibir que, cuando ocurren ciertas cosas, pueden esperar resultados específicos. Cada parte del conocimiento científico se convierte en una piedra del edificio que permite conocer más detalles y desarrollar conocimientos más sofisticados.

Podríamos comenzar observando una simple célula o los componentes de esa célula. Si la observamos suficiente tiempo, podemos comenzar a entender cómo los investigadores desarrollaron con perspicacia lo que es el ADN [ácido desoxirribonucleico] y toda la estructura genética. Todos estos conceptos y teorías se han construido alrededor de «observaciones reflexionadas», que en ocasiones dan lugar al discernimiento. No quiero decir que todo el mundo debiera volverse científico, pero sí señalo que, cuando luchamos para adquirir los ladrillos adecuados para el edificio y reflexionamos sobre lo que observamos, surge la sagacidad.

Saliendo del campo científico, dos de las personas más lúcidas que conozco son mi madre y mi asistente médica,

Carol James. Ambas tienen la habilidad de mirar situaciones complejas y extraer con rapidez lo importante de ellas. En lo particular son comprensivas de las cuestiones humanas.

Aunque quizás no estén conscientes de su ejercicio científico de la observación reflexiva, ambas la han practicado durante muchos años. Aun cuando no pueden explicar su método de percepción, en los pasos del 1 al 4, tienen la habilidad de observar las conductas y las reacciones, para determinar rápida y acertadamente los estados emocionales de las personas. A veces el estado emocional es obvio, como cuando la persona grita o llora, pero ellas saben identificar matices más sutiles de la conducta humana.

Por ejemplo, mi madre es experta en identificar a un estafador. Si una persona intenta venderle algo haciendo afirmaciones falsas, ella lo detecta en el acto.

En una oportunidad vino un vendedor de aspiradoras y trató de hacerle comprar su producto. Aunque a ella le gustaba la marca, el precio pedido era exorbitante. Él insistía diciendo:

—Esta es la aspiradora más potente en su tipo — dijo y siguió con afirmaciones irrelevantes en relación a lo sobresaliente que era su producto.

—Muy interesante —asintió ella— pero si es la mejor en su tipo, ¿cuáles otras hay?

—Bueno —respondió con una mirada brillante, mientras acariciaba la máquina con suavidad— en realidad no hay otras de este tipo. Esta es única y...

—¿Quiere decir que no hay ninguna otra cosa como esta en el mercado? ¿Ni siquiera algo similar?

—Por supuesto, hay otras aspiradoras...

—¿Y en qué es diferente esta? Quiero decir, ¿acaso no hacen todas más o menos lo mismo?

—Bueno, básicamente sí, pero...

Mantuvo al hombre hablando y haciéndole preguntas que lo obligaban a hacer concesiones. Finalmente le preguntó:

—Pero, ¿no es verdad que las otras marcas pueden hacer las mismas cosas?

Mamá terminó comprando la misma aspiradora, en otro lugar, a un precio mucho más conveniente.

Como consecuencia de su capacidad para observar, reflexionar y actuar, tiene la habilidad de conseguir que la gente se abra, que le digan la verdad acerca de lo que están planteando.

Sin embargo, Carol James tiene la habilidad de ver cuándo las personas están enojadas, aun si no demuestren ningún signo visible. Le he oído decir a personas agitadas interiormente: «Sé que debe estar muy angustiado. Tiene motivos para sentirse enojado». Una afirmación tan simple ayuda mucho, aun cuando la mayoría de nosotros, en la misma sala, no percibamos ninguna reacción.

La habilidad de Carol se manifiesta en especial cuando explica terminología y procedimientos médicos. Cuando nos sentamos con familias o pacientes tratamos de explicarles todo. Al no tener idea del grado de conocimiento o comprensión que tienen los pacientes y sus familias, hacemos lo mejor que podemos.

Cuando comienzo a explicar y no entienden algo, quizás actúen como si lo comprendieran todo.

«Oh, sí, sí», dicen e incluso asienten con la cabeza. A juzgar por sus respuestas, no siempre estoy seguro de que sea así.

Carol sabe cuándo entienden o cuándo simplemente no pueden decir: «Estoy confundido». Después que termino lo que creo que ha sido una explicación clara y directa, ella vuelve y habla con la misma gente, *otra hora más*. Cuando termina, la gente en realidad sabe lo que quise decir, porque Carol sabe poner todo en un lenguaje sencillo.

Principalmente su habilidad viene de haber sido observadora de las personas a lo largo de toda su vida. No todo el mundo es un buen observador. No todo el mundo es un agudo observador de los datos científicos. Todos tenemos talentos y limitaciones. No necesitamos compararnos con otros y pensar que por ser enfermeros, abogados o recolectores de residuos, somos mejores o peores que un vendedor, un técnico o un bibliotecario.

Necesitamos decir: «Esto es lo que soy y como profesional, o empleado, haré mi trabajo lo mejor posible. Soy bueno para esto. Con este trabajo hago que la vida de la gente sea mejor».

Esta actitud determina que tengamos éxito, no la cantidad de dinero que hagamos o el prestigio que nuestro título nos confiera.

Finalmente, pero no menos importante, está otro amigo lúcido, Roger Bennett. A sus cuarenta años es socio principal de una de las oficinas jurídicas más importantes de Baltimore. Su honestidad es en realidad lo que nos llevó a ser amigos. Roger trata con todo tipo de problemas legales, desde leyes laborales hasta daños personales, impuestos, propiedades y es bueno en todo lo que se involucra.

Roger me sorprende continuamente por su habilidad para analizar las intenciones de las personas. Al ver los resultados de sus respuestas instantáneas he llegado a tener confianza en su perspicacia y comprensión de las personas.

Más de una vez he analizado situaciones personales y de negocios con él. Roger ha escuchado, para después decir, como si la respuesta le saliera del aire: «Lo que en realidad están buscando es esto. Esta es la razón por la que lo presentan bajo esa apariencia».

O, luego de observar otra propuesta, dice: «Esto es bueno. Creo que es una firma honesta y el programa que presentan es sobresaliente. No lo desaproveches».

Es muy útil conocer personas que tienen ese tipo de sagacidad. Roger creció en un sector judío pobre de Brooklyn. Tuvo que aprender a tratar con gente, a entender cómo piensan otros, a meterse en sus maneras de pensar. Esa es una de las principales razones por las que ha podido levantarse de un medio asolado por la pobreza hasta llegar a ser socio principal de uno de los equipos jurídicos más importantes.

A través de mi propia experiencia, y por conocer a otros como Roger Bennett, quiero dejar en claro que haber nacido del lado desfavorable del camino no significa que ese deba ser nuestro domicilio definitivo. *Lo que cuenta no es de dónde hemos salido, sino hacia dónde vamos.*

Utilizando nuestros talentos, siendo honestos y sacando provecho de nuestro discernimiento, podemos dar lo mejor de nosotros en cualquier área de la vida a la que queramos dedicarnos pensando en grande. La perspicacia es una de las características principales que debemos desarrollar.

PERSPICACIA

SI OBSERVAMOS, REFLEXIONAMOS
Y NOS COMPROMETEMOS A
DAR LO MEJOR DE NOSOTROS,
LLEGAREMOS A LO MÁXIMO.

TRECE

Las personas buenas llegan lejos

> *Tantos dioses, tantos credos,*
> *tantos caminos que giran y giran,*
> *cuando lo único que necesita este mundo triste*
> *es el arte de la bondad.*
>
> Ella Wheeler Wilcox

«*L*as personas buenas siempre quedan para el final», expresa el antiguo dicho, especialmente en el mundo de los negocios. Es otra manera cínica de reforzar la idea de que cada uno de nosotros se cuida a sí mismo y se olvida de los demás. No estoy de acuerdo con esa expresión.

BONDAD

Cuando uso la palabra *bueno*, en realidad la uso de paraguas para una amplia gama de significados como:

atento	considerado	servicial
afable	agradable	solícito
respetuoso	amistoso	amable

He conocido mucha gente buena en mi vida, a quienes les ha ido muy bien. Algunas de ellas las he mencionado ya en este libro: el Dr. Don Long, el Dr. Mike Johns y el Dr. Walter Lomax.

De mi madre aprendí a ser bueno con otra gente, no importa quiénes sean o qué hayan logrado (o no hayan logrado). Mamá solía decir: «Ben, sé bueno con todos. Te

171

encuentras con la misma gente tanto en la subida como en la bajada».

Aunque lo había aprendido antes, el mensaje en realidad me llegó cuando estaba haciendo la residencia en el Hopkins. Durante aquellos meses pasaba hasta ciento veinte horas por semana en el hospital, algunas de ellas, por supuesto, voluntarias. Con frecuencia, cuando estaba allí en medio de la noche, a menos que tuviéramos alguna emergencia, la única gente con la que hablaba era el personal de limpieza, los dependientes, las enfermeras y las ayudantes de enfermería. Por encima de las charlas ociosas, me había dado cuenta que muchos de ellos tenían vidas más interesantes que la mía (que consistía en vivir prácticamente en el hospital).

Uno de los conserjes jugaba en una liga de softbol y tenía una interminable colección de historias intrigantes sobre las competencias. Estas personas que por lo general pasaban inadvertidas tenían familias, niños y aspiraciones para ellos iguales a las que sabía que tendría cuando tuviera mis propios hijos.

Una noche en particular, después de haber disfrutado de una conversación realmente linda con el conserje, una mujer de la limpieza y dos ayudantes de enfermería, me quedé reflexionando sobre lo que habíamos hablado. *Ser un médico del Johns Hopkins no me hace mejor a los ojos de Dios que la persona que no ha tenido la oportunidad de obtener esa educación, pero que lo mismo trabaja duro.*

Tal vez esa no fue una percepción sobresaliente, pero ese descubrimiento tuvo un impacto en mí que espero no olvidar jamás.

Por supuesto, adquirí buena parte de esa comprensión en casa, de mi madre, una mujer de integridad unida con una gran determinación y un fuerte sentido de autoestima. Esa noche, después de la conversación con los empleados del hospital, me pregunté cómo reaccionarían otros ante mi madre si la vieran sin saber cómo es. Me preguntaba si ella hubiera estado trabajando en el hospital en la limpieza, ¿cuántas personas se hubieran detenido a decir: «Qué mujer tan maravillosa eres»?

¿O hubieran pasado sin tenerla en cuenta?

He visto a personas reaccionar ante los camareros, secretarias y recepcionistas, quienes después, a pesar de los carteles y los nombres escritos en los escritorios de esos empleados, no podían decir nada sobre aquellos a quienes consideraban seres invisibles, anónimos, personas que no merecen ser tenidas en cuenta.

Me alegro de haber aprendido otra manera de ser. Mamá se tomó el trabajo de enseñarnos a Curtis y a mí a no prejuzgar a los demás, a no decidir sobre su valor antes de conocerlos. Insistía en que tratáramos a todos con amabilidad y que diéramos a cada persona una oportunidad.

Como cirujanos, si no consideramos a todos los demás empleados como personas valiosas y dignas de conocer, estamos prejuiciados contra lo que con tanta firmeza habla la Biblia:

> Ustedes, hermanos míos, que creen en nuestro glorioso Señor Jesucristo, no deben hacer diferencia entre una persona y otra. Supongamos que ustedes están reunidos y llega un rico con anillos de oro y ropa lujosa, y lo atienden bien y le dicen: «Siéntate aquí, en un buen lugar», y al mismo tiempo llega un pobre vestido con ropa vieja, y a éste le dicen: «Tú quédate allá de pie o siéntate ahí en el suelo», entonces ya están haciendo distinciones entre ustedes mismos y juzgando con mala intención» (Santiago 2.1-4, VP).

Si tuvieran la oportunidad de hablar con ella, las mismas personas que tal vez la rechazaran por no conocerla, descubrirían (para su sorpresa), que es una persona muy inteligente, con profunda lucidez, extremadamente sabia para la escasa educación que posee y que hasta podría ayudarlos con sus problemas.

¿Por qué no puede un conserje saber más, acerca de ciertas situaciones, de lo que conoce un neurocirujano? Una persona que realiza trabajo manual puede ser tan inteligente como una que se sienta en un escritorio y hace trabajo de oficina.

Ser bueno se traduce en aceptar a cada persona con el justo valor que tiene. Me preocupa que todavía hay personas que sencillamente deciden que cierta gente no es digna de ser tenida en cuenta, sólo por su clase socioeconómica, el trabajo que hace o la nacionalidad. *Todos somos valiosos*. Como lo expresa un dicho popular de cuando era niño: «Dios no hace chatarra».

Estas personas no reconocidas nos pueden enseñar, estimular e incluso ser importantes aliados para nosotros. A lo largo de los años he llegado a conocer un gran número de esas personas con quienes todavía estoy en contacto. Cuando estoy en medio de un grupo de médicos y pasa un conserje y saluda, quiero que se trate igual que al ejecutivo de una importante compañía que llega como paciente. Los pacientes con asistencia pública son tan importantes como los privados. Todos ellos tienen necesidades médicas a las que debemos atender. Desafortunadamente, buena parte del sistema de salud en nuestro país es un sistema clasista, aquellos que no tienen dinero, no siempre obtienen los mejores cuidados.

*   *   *

Una de las personas más buenas que he conocido es una autraliana, la Dra. Lynn Behrens, rectora de la Universidad de Loma Linda. Comenzó como pediatra, fue nombrada decana de la escuela de medicina y ahora es rectora de la universidad. Es la persona más amable, sensata y buena que conozco. Aunque apenas tiene cuarenta años, parte de las razones por las que la Dra. Behrens ha llegado a ser rectora de la universidad es el sincero y solícito afecto que expresa a todos.

Su esposo, Dave Basaraba, es igual de bueno. Es un ejemplo de persona que ha tenido realizaciones significativas en el campo de la educación y que, no por ser el hombre de la casa, siente necesidad de robar la atención enfocada en su popular esposa.

Me maravilló encontrar gente tan modestamente humilde y buena. Han logrado cosas increíbles en poco tiempo, prueba de que no es verdad que hay que ser antipático para tener éxito.

Conocí a Lynn en mi iglesia, cuando estaba con un grupo de personas de la Escuela de Medicina de Loma Linda. La única persona del grupo que conocía era el jefe de cirugía. Habíamos invitado a todo el grupo a cenar después de salir de la iglesia. Lynn, que también estaba, se mezcló con entera libertad entre los demás. Había pasado un buen tiempo mientras compartíamos la cena, antes de que esta modesta y buena mujer diera apenas a conocer que era médica, en realidad decana de la escuela de medicina (lo que supimos sólo por una afirmación de uno de los otros invitados, quien lo mencionó hacia el final de la cena).

Como por su manera de comportarse nunca daba a entender que tenía una posición tan distinguida, bien podríamos haber pasado todo el día con ella y seguir sin conocer los significativos logros de su vida.

*   *   *

Como tengo que atender un número abrumador de casos, constantemente estoy meditando sobre las metas que debo lograr en el hospital. Llevarlas a cabo con efectividad requiere la cooperación de muchos otros. Creo que si no hubiera sido amable con estas personas a lo largo de los años, cuando no necesitaba su ayuda, no hubieran dado lo mejor de sí cuando al fin y al cabo las necesité.

Ser bueno siempre trae su recompensa a largo plazo.

Cuando llegué a ser médico interno y residente de primer año, me di cuenta que estaba entrando en una etapa diferente de mi vida. Para entonces tenía asociado a mi nombre un título imponente para el que había trabajado muy duro. A lo largo de los años he observado algunas personas que tienen una maestría o un doctorado, que dan la impresión de haber sido elevados por encima de la gente común y de haber sido divinamente puestas en una categoría superior.

Recuerdo que, como estudiante de medicina de primer año, teníamos un profesor de fisiología que afirmaba estar entre el millar de personas más inteligentes del mundo. Pensaba que en realidad hay seres humanos superiores y que él estaba entre ellos. Era en extremo paternalista, en especial con los estudiantes provenientes de minorías. Aunque se presentaba a sí mismo como un gran hombre, la mayoría de nosotros lo consideraba un farsante. También era un pésimo maestro.

Desafortunadamente, algunas veces hay personas que se sienten superiores a otros y tratan a los de otra clase como apenas humanos. En específico lo he notado en aquellos que pueden colgar su diploma en el estudio. Para ellos es como si el título los pusiera por encima de los demás. Sin embargo, no importa lo famosos que lleguen a ser o lo mucho que logren realizar, hacemos bien en recordar que siguen siendo las mismas personas que antes de obtener sus títulos.

Después de obtener mi título de doctor en medicina traté de ser consciente que seguía siendo el mismo que había sido *siempre*. Ahora que soy un neurocirujano con certificado expedido por el colegio médico, sigo siendo la misma persona que cuando iba a la escuela de enseñanza media. Aunque fui un hombre a quien le costó aprender a estudiar en la universidad, no soy diferente ahora que tengo seis doctorados honorarios. Ninguno de esos títulos me hace diferente a la persona que fui mientras me criaba en las ciudades interiores de Detroit y Boston, tampoco me hacen nada mejor que un hombre que se gana la vida colocando pavimento o que una mujer que mecanografía cartas todos los días. Si no fuera por las circunstancias únicas de mi vida, podría estar haciendo otro tipo de trabajo.

*   *   *

Un ejemplo de que esta idea trae su recompensa es un incidente que ocurrió justo antes de que Candy y yo viajáramos a Australia. Aunque no lo sabía, dos enfermeras estaban planeando invitarme a una cena de despedida con la intención de agarrarme solo y divertirse a costa mía.

Nunca hubiera podido saber de antemano lo que estaban conspirando, si no hubiera sido por otra enfermera quien, habiendo escuchado por sobre el hombro sus planes, vino a mí diciendo: «Ben, creo que tienes que saber lo que están pensando hacer».

Gracias a eso, cuando las dos enfermeras se me acercaron, encontré una manera de rechazar su invitación.

Ahora bien, si hubiera tratado de manera torpe a la enfermera que había escuchado a las otras dos, no le hubiera importado lo que pudiera ocurrirme a mí. Pero si se preocupó, fue porque para mí ella nunca había sido «sólo» otra empleada impersonal e insignificante.

* * *

Incluso ahora, en mi calidad de director de neurocirugía pediátrica, todavía recibo consejos útiles de la gente y espero que siempre se sientan libres para hacer sugerencias o hablarme.

En primer lugar, no sé qué haría sin enfermeras y auxiliares de enfermería compasivas que han desarrollado un sentido de intuición hacia sus pacientes. Aquellas personas que están bajo su cuidado se convierten en seres especiales para ellas y con frecuencia anticipan recaídas y complicaciones, haciendo que la vida sea más fácil para mí y para la recuperación de los enfermos.

Otro recuerdo vívido que tengo de la intervención de una enfermera solícita es en relación a una madre que trajo a la clínica a su hijo hidrocefálico, un niño que también tenía muchos otros problemas médicos. Habíamos estudiado su caso y yo tenía programado ver personalmente al niño.

—Ben —me dijo una de las enfermeras llamándome aparte—. Acabo de fijarme quién es su próximo paciente. ¿Le molesta si le hablo acerca de esta mujer un minuto?

—Dime todo lo que me pueda ayudar —dije.

Esta enfermera acababa de llegar al Hopkins desde otro gran hospital, al que, según me dijo, aquella madre también había llevado a su hijo.

—La conozco, aunque tal vez ella nunca me prestó atención. No creo que le convenga involucrarse con ese caso.

Sorprendido, le pregunté el porqué. Aunque se mostró reticente a decir mucho, al final me manifestó:

—Para comenzar, esa mujer es en extremos racista. Es probable que usted podría desenvolverse bien con esa situación. Pero en todos los lugares que ha estado, y prácticamente ha asistido a casi todo servicio médico de la zona, ha causado innumerables problemas. —Me explicó algunos de ellos y agregó—: Esta mañana mismo ha estado haciendo afirmaciones a otras familias de que va a «bajar al poderoso Ben Carson de su lugar en el cielo y lo va a poner en la tierra».

Para entonces ya había decidido que no quería comprometerme con ella y la frase final de la enfermera me quitó alguna posible duda.

—No importa cuál sea el resultado final. Es probable que esta mujer trate de levantar un juicio en su contra.

Agradecí a la enfermera. Cuando hablé con la madre le dije:

—Creo que sería mejor si delego este caso a otra persona. En este momento no puedo atender a su hijo.

—¿Así que usted es demasido importante como para atender a mi hijo? ¿Busca un caso que le traiga más entrevistas en la televisión? —Ya estaba comenzando el ataque—. O tal vez es porque no tenemos mucho dinero.

Y así continuó. Cuando hizo una pausa, dije con calma:

—No tengo tiempo que dedicar a su caso. En este momento estoy sobrecargado de pacientes. Creo que necesita encontrar a otro neurocirujano para que pueda recibir un tratamiento inmediato para su hijo.

—¡Ah!, ¿así que realmente cree que es demasiado bueno, verdad? Cree que es mejor que yo. No se va a ocupar de mi hijo, ¡pero nos ha hecho estar sentados en su sala de espera! Como no somos tan importantes podríamos seguir sentados ahí hasta que a usted se le ocurra salir a decirnos que no está interesado.

No recuerdo cuánto tiempo siguió hablándome en ese tono, pero para entonces estaba absolutamente seguro que la enfermera me había dado la información correcta.

Al fin y al cabo, la madre y el niño se fueron, gritándome cuando se iba y diciéndome lo terrible que me consideraba. Sus palabras finales fueron que en realidad, de todas maneras, no quería ni verme.

En lo particular, la situación no me perturbó, sino que me sentía agradecido a la enfermera que había sido lo suficiente amable como para advertirme, para que pudiera librarme de un callejón sin salida antes de que pudiera ocurrir algo más grave.

Ese tipo de gente puede ser devastadora para la carrera de una persona. No con mucha frecuencia, pero sí en ocasiones, surgen esos provocadores de problemas. No importa lo útiles que tratemos de ser o lo mucho que nos desviemos de nuestro camino, nunca los podremos satisfacer.

Por supuesto, esto es triste. Sin embargo, cuando trabajo con personas que se preocupan por buscarme e informarme, a veces con no poco riesgo, comprendo y recalco una vez más el principio de *ser buenos*.

Quiero hacer algo más que decir: «Sean buenos». A continuación hay algunas razones por las que deberíamos tratar con bondad a la gente con la que nos encontramos cada día.

1. *Todas las personas del mundo merecen que seamos buenos con ellas.* Dios nunca ha creado seres humanos inferiores, por eso cada persona merece respeto y dignidad.

2. *Recibimos de la vida lo mismo que le damos.* La manera en que tratamos a otros es la misma en que seremos tratados. Cuando era niño solía escuchar el dicho: «Es tan bueno como parece». Me gustaría cambiarlo para que diga: «Bueno es quien hace lo bueno».

3. *No perdemos por ser buenos.* Un caballero anciano me dijo en una oportunidad: «Cuando trato a otra gente con bondad y con amor, es una forma de pagar a Dios y al mundo mi deuda por el privilegio de vivir en este planeta».

Aunque es verdad que algunas personas se aprovecharán de la bondad e incluso considerarla debilidad, a la larga la bondad prevalece.

Me viene a la memoria 1 Corintios 13, el conocido pasaje acerca del amor. Ser bueno está dentro del sentido de la palabra *amor*. Mis amigos que saben teología me dicen que el amor bíblico (en griego *ágape*) es una actitud, un acto de la voluntad, una forma de conducta y no una emoción.

En consecuencia podemos parafrasear, 1 Corintios 13.1-3, cambiando la palabra amor por bondad:

Si yo hablase lenguas humanas y angélicas, y no tengo *bondad*, vengo a ser como metal que resuena, o címbalo que retiñe. Y si tuviese profecía, y entendiese todos los misterios y toda ciencia, y si tuviese toda la fe, de tal manera que trasladase los montes, y no tengo *bondad*, nada soy. Y si repartiese todos mis bienes para dar de comer a los pobres, y si entregase mi cuerpo para ser quemado, y no tengo *bondad*, de nada me sirve.

BONDAD

SI SOMOS BUENOS CON LOS DEMÁS,
LOS DEMÁS RESPONDEN DE LA MISMA MANERA
Y PODEMOS DAR LO MEJOR
LOS UNOS POR LOS OTROS.

CATORCE

El conocimiento cuenta

Conocer es poder.

Francis Bacon

«***B****ah, eso no es relevante hoy en día».*

«No necesito saber eso».

«Está sobrecargando su mente con información inútil».

«¿Para qué me sirve el álgebra, la química y la historia, si me dedico a las ventas?»

He oído todos esos argumentos en contra de aprender y la mayoría se reducen a:

1) Demasiado conocimiento sobrecarga la mente.

2) Cierto tipo de conocimiento es irrelevante.

El primer argumento es falso. De manera errónea, el segundo implica que necesitamos aprender sólo aquello que utilizaremos en nuestro trabajo.

Ninguno de los dos argumentos es válido.

Antes de refutarlos quiero hablar sobre el:

CONOCIMIENTO

Este tema es muy querido para mí, porque con frecuencia se desdeña el conocimiento, en especial entre estudiantes de escuelas de las peores zonas de la ciudad. También encuentro esta actitud en escuelas de zonas residenciales, donde normalmente podríamos esperar que los estudiantes tengan sed de conocimientos.

Refuto los dos argumentos generales en contra del aprendizaje con las siguientes afirmaciones:

En primer lugar, no podemos sobrecargar el cerebro humano. Este cerebro divinamente creado tiene *catorce billones de células*. Si se usan al máximo, esta computadora humana que hay en el interior de nuestra cabeza podría contener todo el conocimiento de la humanidad desde el comienzo del mundo hasta el presente y todavía le sobraría lugar.

En segundo lugar, no sólo no debemos sobrecargar nuestro cerebro, porque también sabemos que este retiene *todo*. Con frecuencia utilizo este dicho: «El cerebro se apropia de todo lo que encontramos». La dificultad no estriba en el ingreso de información, sino en cómo extraerla. A veces «archivamos» información en forma desordenada o adosamos partes importantes de información a otra de poca importancia y esto nos confunde.

Todo el conocimiento es importante, un hecho que algunas personas no quieren aceptar. Una de las cosas maravillosas acerca del aprendizaje es que el conocimiento no sólo se transfiere de un área a otra, sino que también funciona como una avenida que conduce al entendimiento y a la comprensión.

Por ejemplo, los estudiantes a menudo se quejan de que los cursos de estudios sociales son irrelevantes, en especial los de historia y geografía. Lo que con frecuencia no entienden es que estas materias amplían sus horizontes mentales. La historia nos ayuda a entender el pasado, cómo hemos llegado a donde estamos. La geografía explica muchas costumbres y hechos sentados en la tierra.

La guerra del Golfo Pérsico, que por varios meses fue el centro de la atención del mundo, ahora es historia. ¿Por qué son importantes los países de Irak, Irán, Kuwait y Arabia Saudita? Me resulta sorprendente que tanta gente joven no entiende que esos países tienen sólo un recurso natural sobre el que se funda toda su economía: vastos yacimientos de petróleo, que el resto del mundo codicia.

Entonces cabe preguntarnos: ¿Cómo llegó el petróleo a esos lugares? ¿Dónde más podemos encontrar lo que llamamos «combustibles fósiles»? Siguiendo esa línea de preguntas podemos llegar a nuevas áreas de conocimiento, que nos enseñen a razonar con más claridad.

Estoy convencido que el conocimiento es *poder*.

—Para superar el pasado

—Para superar nuestras propias situaciones

—Para enfrentar nuevos obstáculos

—Para tomar mejores decisiones

Además, el conocimiento hace especial a la gente. Un ejemplo que me viene a la memoria es W. Duncan («Fred») McCleary, el pediatra de nuestro hijo. Fred trató de ser maestro y enseñó en escuelas elementales. A los treinta años decidió que quería ser médico, de manera que hizo la solicitud y fue aceptado en una escuela médica.

¿Desperdició Duncan su preparación como maestro? Algunos pensarán que sí. Sin embargo, como padre, estoy convencido de que gracias a su amor de maestro para con los niños, Fred ha transferido esa capacidad e información a su trabajo como pediatra. Y nosotros, padres y pacientes, nos beneficiamos de su amplio conocimiento.

Con frecuencia he conversado con Fred. He observado la forma en que se relaciona con los padres y los niños. Primero, sin hacer alarde de ello, su conocimiento de pediatría es muy evidente. *Conoce su campo de trabajo.* Segundo, una evidencia de su trasfondo educacional. Fred es extremadamente práctico en su enfoque. Cuando los niños lo rodean, tiene el instinto cariñoso de un educador unido a sus conocimientos de médico. Aunque Fred no es un pediatra de tiempo completo en un gran centro médico (un centro de derivaciones), sus habilidades clínicas en realidad igualan a las de los mejores médicos académicos que conozco.

Cada vez que hablo a grupos, en particular a estudiantes, trato de insistir en el valor del conocimiento, con frecuencia revelando un poco de mí mismo. Uno de los detalles en los que hago hincapié es en los conocimientos que he adquirido sobre música clásica, los que, para decirlo con brevedad, me vinieron de la siguiente manera: Uno de los programas de televisión que miraba se llamaba *College Bowl* [Certamen estudiantil]. Me gustaba ese programa de preguntas y respuestas, el que hacía a los estudiantes preguntas que iban desde geografía e historia hasta ciencias y matemáticas. Para la época en que llegué al décimo grado era bastante bueno para las respuestas. Solía decir: «Sé las respuestas. Podría ir a la universidad y andar bien». Entonces comencé a soñar que entraría a la universidad y competiría en ese programa. *¿Por qué no?*, me preguntaba continuamente. *Soy tan inteligente como ellos. Puedo aprender todo lo que ellos saben.*

Sin embargo, el certamen del programa tenía dos categorías en las que no era un experto: el arte y la música clásica. Después de todo, ¿qué podía saber de eso un chico de color, pobre, proveniente de un ambiente económico bajo de Detroit?

Con frecuencia mostraban cuadros de Van Gogh y Renoir, y pedían a los estudiantes que los identificaran. O tocaban una pieza de música de Schubert o Rachmaninoff: «Nombre la pieza y su compositor».

Un día tomé la decisión de aprender tanto de arte como cualquiera de esos estudiantes que participaban del programa. Comencé a ir al centro, al Instituto de Arte de Detroit, al comienzo paseaba por las galerías descubriendo los cuadros que allí había. Luego comencé a leer acerca de los artistas, averiguando cuándo habían pintado, el nombre de cada período, cuándo habían nacido y muerto los artistas, y los términos que se usaban en el mundo del arte para describir sus obras. Claro que me daba trabajo, pero también era entretenido porque no sólo aprendía acerca del arte sino que mi apreciación del mismo también aumentó.

A partir de allí encaré la música clásica. Teníamos una emisora radial que trasmitía música clásica todo el tiempo (e identificaba las piezas), de modo que me las arreglé para comprar un radio portátil y lo mantuve sintonizado en esa emisora. Mis amigos creían que estaba trastornado. Después de todo, ¿por qué habría de escuchar a Mozart un chico de color de Motown?

Sin tener en cuenta lo que pensaban, sabía lo que hacía: Me preparaba para la universidad. Con el tiempo podía identificar la mayoría de las piezas clásicas que pasaban en el programa de preguntas. Lo que era mejor para mí, muchas veces podía dar la información antes que lo hicieran los participantes.

Cuando hablo de ese aspecto de mi vida, la respuesta que surge es: «Sí, pero, ¿por qué es importante para mí saber acerca de música clásica?»

«No es importante simplemente saber acerca de música clásica, sino sobre todas las formas musicales de la historia», me digo. «También es bueno conocer sobre historia del arte. Si uno es miembro de un grupo étnico o una minoría, hace falta saber sobre su herencia y luego cómo eso entra dentro de la historia general del mundo».

Por supuesto, esa no es una respuesta completa a la pregunta, pero después agrego: «Lo que uno necesita saber está determinado por el grupo al que uno procura influenciar».

Por supuesto, esta respuesta no responde por completo la pregunta, por lo que añado: «Lo que necesita conocer lo determina el grupo que intente influenciar».

— Si la intención es influir únicamente sobre quienes viven en la propia casa, entonces sólo hace falta saber aquellas cosas que son importantes para la gente con quien uno vive.
— Si la intención es influir sobre el vecindario, habrá que ampliar los conocimientos actuales.
— Si se pretende hacer una diferencia en la ciudad, ¿cómo se podrá hacer si no se sabe lo que está ocurriendo?
— Si uno quiere ayudar a moldear la nación o el mundo, se necesitará todavía más conocimiento y aprender acerca de lo que es importante a nivel nacional e internacional.

La gente necesita reconocer que hay muchas razones para estar orgullosa de su herencia étnica, que no hay tal cosa como una raza o grupo inferior. También necesita saber que, cualquiera que sea su origen, *todos forman parte de la familia humana*. Si queremos que nuestra vida cuente para el mejoramiento de la familia humana, debemos adquirir cada mínimo conocimiento que esté a nuestro alcance.

También me parece que si decidimos comprometernos a obtener conocimientos, esto terminará con los insultos y el resentimiento, e impedirá las quejas como:

— «No me dejan avanzar».
— «El sistema está en contra de gente como yo».
— «¿Qué posibilidades tengo?»

Un principio básico de mi filosofía de la vida es que *ningún conocimiento se desperdicia*.

El conocimiento enriquece la vida misma. El conocimiento nos hace mejores personas. El conocimiento amplía nuestra percepción del mundo que nos rodea.

Si para algunos estas suenan como afirmaciones idealistas, tal vez la mejor manera en que puedo enfatizar el valor del conocimiento es terminar de relatar mi historia acerca de la música clásica. Para comenzar, nunca aparecí en el programa de televisión, el cual desafortunadamente salió de programación el mismo año que entré en la universidad. Sin embargo, me ocurrieron algunas cosas significativas y prácticas, como resultado de haber adquirido ese conocimiento.

Como relato en detalle en *Gifted Hands* [Manos dotadas], después de graduarme de la escuela de medicina, fui al Johns Hopkins para una entrevista. Era la escuela número uno de mi lista, porque anhelaba fervientemente entrar en su programa de internado. Me hubiera desanimado si hubiera sabido que tenían un promedio de ciento veinticinco solicitantes cada año para las únicas dos vacantes en el programa de neurocirugía.

Durante la entrevista el doctor George Udvarhelyi, jefe del programa de entrenamiento en neurocirugía, mencionó que había escuchado un concierto la noche anterior.

—Yo también lo escuché —dije.

—¿Ah, sí?

Incluso si no hubiera escuchado el tinte de sorpresa en su voz, lo hubiera visto en la expresión de su cara.

Comentamos el concierto, pasamos a una discusión acerca de la música clásica en general y pronto el tiempo destinado a la entrevista se había terminado.

Fui uno de los dos internos aceptados en el programa de residencia en neurocirugía.

Años más tarde, George Udvarhelyi me dijo que la forma en que me había desenvuelto en la entrevista le había impresionado. Aunque no hemos hablado en específico sobre la entrevista, estoy convencido de que mi conocimiento y apreciación por la música clásica, influyeron en su recomendación.

Otra razón por la que siempre he estado agradecido de haber llegado a conocer la música clásica es Lacena Rustin, una estudiante que también llegó de Detroit, a quien conocí poco antes de comenzar mi tercer año en Yale. Siendo una persona en particular despierta, Lacena había elegido una doble especialización en preparatorio para medicina y música. Gracias a su talento musical y a mi interés en la música clásica, además de mi habilidad para tocar varios instrumentos, comenzamos a hablar. Cuanto más hablábamos, más me gustaba y quería seguir hablando.

Cuatro años después, me casé con Lacena, a quien todos llaman Candy.

*   *   *

Un día un estudiante de la escuela media me preguntó:

—Doctor Carson, ¿por qué diablos necesito saber acerca de las cargas eléctricas de una partícula que atraviesa el campo de fuerza? Eso es algo totalmente irrelevante para mí.

—¿Cómo lo sabes? ¿Cómo sabes lo que estarás haciendo dentro de quince años? Tal vez descubras que saber cómo precisar el campo de fuerza en un área particular te abrirá una puerta que de otra manera nunca se hubiera abierto. Nunca se puede saber lo útil que puede ser un conocimiento en apariencia insignificante.

Aparte del asunto de la relevancia, el conocimiento nos hace valiosos. Cuando tenemos conocimientos que otras personas no disponen, alguien nos puede necesitar. No importa el aspecto que tengamos, ni de dónde vengamos, si tenemos algo que otros pueden necesitar.

Permítanme que les relate acerca de una persona así. A comienzos de 1991 conocí una joven ejecutiva de color, que trabajaba para la compañía Fortuna 500, en el noreste. Esta joven había adquirido una gran cantidad de conocimientos acerca de la compañía para la que trabajaba. Había llegado a ser en extremo valiosa para ellos gracias a su eficiencia y a sus conocimientos generales en el área de la empresa.

Entonces, se casó con un profesor de una universidad del sur. Informó a la dirección de la compañía que tenía que renunciar.

—Pero la necesitamos —dijeron.

—Lo lamento —recalcó—. Me gusta trabajar aquí, lo sabe. Pero amo a mi esposo y su cargo no es transferible...

—Denos una oportunidad para pensarlo —dijeron— y ver qué podemos hacer.

Ella no podía suponer que la firma encontraría la manera de resolverlo. Su esposo enseñaba en Florida, un lugar muy lejos de Filadelfia.

Unos días después el directorio habló de nuevo con ella. Esta mujer había llegado a ser tan valiosa en esa gran firma que le dijeron:

—Si se queda con nosotros, le compraremos otra casa. Usted y su esposo podrán tener una casa en Florida y otra en Filadelfia. Y, a expensas de la compañía, proveeremos transporte cada vez que sea necesario durante la semana, para que usted pueda ir y volver.

Es evidente que una compañía no haría una oferta así a alguien a quien no necesitara. No importaba que fuera mujer, ni que fuera de color. Todo lo que importaba era que, gracias a su detallado conocimiento, había llegado a ser tan valiosa que la compañía sentía que no podía prescindir de ella.

Esto no significa que la injusticia, el racismo o la discriminación sexual no existan en nuestra sociedad. Quiero decir que, si las personas que tienen desventajas por esos hechos desagradables de la vida pueden adquirir el tipo de conocimientos que las hacen valiosas, ciertamente tendrán ventajas significativas en lo que respecta a igualar o superar sus oportunidades.

Una de las ideas que me gusta reforzar en los estudiantes, provenientes de las minorías, es que el conocimiento es una herramienta con la que se puede destruir el prejuicio racial. Les digo: «El conocimiento los ayuda a saber que son tan buenos como ellos. También insisto en que aprender puede ayudar a superar el prejuicio racial por el servicio que podemos ofrecer. Nadie *necesita* un ignorante. Nadie *quiere* un ignorante».

Los prejuicios raciales y de clase existen, y siempre existirán mientras haya personas física, social y económicamente diferentes. No podemos erradicar el prejuicio, pero podemos librarnos de parte del mismo y con seguridad ayudar a disminuir su poder.

Mi madre me dijo en una oportunidad algo que jamás olvidaré: «Si entras a un auditorio lleno de gente racista, no eres tú quien tiene un problema. *Ellos* tienen el problema, porque están todos preocupados acerca de dónde irás a sentarte. Tienen miedo que puedas sentarte a su lado. Pero puedes hacerlo donde te plazca».

En esa sabiduría, expresada con sencillez, mi madre me estaba diciendo varias cosas. El conocimiento, decía, me liberaría del prejuicio. Con frecuencia he pensado en las palabras de Jesús: «... y conoceréis la verdad, y la verdad os hará libres» (Juan 8.32).

También estaba diciendo que una vez que el conocimiento me ha liberado, aunque otros sigan teniendo el problema, aunque no pueda quitarles el problema, todavía sigo siendo libre.

«Si obtengo conocimiento», les dije a un grupo de estudiantes de enseñanza media, «desarrollo mis talentos y logro metas, *otros* podrán desarrollar úlceras, sufrir golpes o un ataque al corazón, a causa de sus cargas emocionales, ¡y podré estar ahí en el hospital para ayudarlos!»

Creo firmemente que la mayoría de las personas no son de mentes pobres de nacimiento, sino que son el producto de su medio ambiente y de la enseñanza que han recibido en la escuela, los compañeros y su condicionamiento social. A veces es cuestión de reacondicionar y reeducar a la gente.

Es como en los viejos cuentos de hadas cuando se convierte una calabaza en un carruaje o un sapo en un príncipe. Podemos jugar un papel, en la realización de tales milagros, liberándonos de la ignorancia. Después tendremos la posibilidad de ayudar a otros a cultivarse.

*   *   *

Entre nosotros, quiero señalar que el conocimiento también puede tener resultados negativos. Pablo, en su carta a los corintios, escribió acerca de un problema en la iglesia. Vivían en una época en que la gente ofrecía comida a los ídolos. Después de la ceremonia religiosa, cualquiera podía comprar esos alimentos. Algunos cristianos de Corinto compraban la carne porque evidentemente era de primera calidad y quizás se conseguía a precios muy ventajosos.

Aquellos que compraban comida de segunda mano, lo hacían por sus conocimientos, tenían conciencia de su uso previo y también sabían que los ídolos no son nada. Otros, en cambio, tenían conciencias más débiles y decían: «Esa comida fue dedicada a dioses falsos. Incluso ahora, si la comemos, estamos adorando a esos ídolos».

Así surgió una controversia, hasta que Pablo aclaró el asunto: «En cuanto lo sacrificado a los ídolos, sabemos que todos tenemos conocimiento. El conocimiento envanece, pero el amor edifica» (1 Corintios 8.1).

Pablo, el padre espiritual de la iglesia de Corinto, fue un poco duro con aquellos que tenían conocimiento. En efecto, decía que está muy bien tener conocimientos, mientras no se agreda a otros con los mismos. Concluyó diciendo: «Por lo cual, si la comida le es a mi hermano ocasión de caer, no comeré carne jamás, para no poner tropiezo a mi hermano» (1 Corintios 8.13).

A veces nuestro conocimiento tiene ese efecto adverso. Provoca que nos sintamos orgullosos y nos volvamos un poco intolerantes respecto a otros que saben menos. Pero ese no es el tipo de conocimiento al que me refiero.

A decir verdad, puedo relatar de mi propia experiencia lo terrible que es esa clase de conocimiento. Como ya he señalado, en mi quinto grado no tenía competidores para estar en el nivel más bajo de la clase. Luego, mamá me obligó a comenzar a leer y a dejar de ver indiscriminadamente la televisión. Mi vida dio un vuelco, lo mismo que mis calificaciones. Pasé a estar entre los mejores de la clase.

Tal vez sólo estaba intentando exhibirme, sobrecompensándome o, con seguridad, no conocía otra forma mejor. Pero por un par de años me aseguré de que todos supieran cuánto conocimiento tenía.

En lugar de responder con asombro y aprecio, mis compañeros me veían como alguien antipático y jactancioso. Desafortunadamente tenían razón.

En contraste, todos conocemos personas que parecen saber de lo que hablan. No porque hacen alarde y le dicen a uno todo lo que saben. Se hace evidente por la forma en que actúan. Este tipo de conocimiento les da una confianza interior. Cuando estamos en su presencia, destilan autoseguridad y, de alguna manera, eso nos hace sentir también más confiados.

El conocimiento competente, seguro de sí, no se exhibe, ni se comporta en forma ofensiva, como solía hacerlo yo, ni vuelve engreídos a quienes lo poseen, está simplemente allí.

El mejor ejemplo que puedo dar de ese tipo de conocimiento es Don Long, jefe de la sección de neurocirugía del Hopkins. Aunque nunca intentaría tratar de impresionar con su experiencia y amplio conocimiento, parece, en realidad, saber todo lo que se relaciona con la neurocirugía. A lo largo de los años de práctica, y junto con sus talentos, ha logrado un notable dominio en base al conocimiento del resultado de lo que otros han hecho con anterioridad. Ha aprendido de sus éxitos y errores, y busca maneras de realizar un mejor trabajo en el Hopkins.

Cuando Don Long habla acerca de algo con esa voz profunda que lo caracteriza, se hace evidentemente claro que no está intentando impresionar y de llenar el tiempo. Sabe con exactitud de lo que está hablando y todos lo escuchamos con respeto. Somos conscientes de su credibilidad y sabemos que no quiere impresionarnos con su depósito de información.

A veces les digo a los estudiantes: «El conocimiento es la llave que abre todas las puertas. Se puede tener piel verde con lunares amarillos y venir de Marte, pero si tenemos el conocimiento que la gente necesita, en lugar de golpearnos se abrirán paso hasta nuestra puerta».

*   *   *

En la escuela superior comencé a leer publicaciones como *Psychology Today* [La sicología hoy] y en la universidad hice una especialidad en sicología. A lo largo de los años he aprendido que nuestras respuestas y acciones se basan por lo general en nuestra experiencia acumulada y en nuestro conocimiento, ya sea que lo reconozcamos o no en ese momento. En consecuencia, la adquisición de conocimiento, cualquiera que sea, es probable que nos prepare mejor para responder a las situaciones difíciles en el futuro.

La gente suele decir o hacer cosas que parecen adecuadas para el momento. Con frecuencia no saben que basan sus palabras o acciones en el conocimiento adquirido años atrás. Este es uno de los hechos que quiero enfatizar al decir: «El cerebro se apropia de todo lo que encuentra». Cuando miramos un programa de televisión, nuestro cerebro lo registra por completo. Si escuchamos una sinfonía, de nuevo nuestro cerebro toma todo, lo mismo que cuando escuchamos *rock and roll*. Reconocemos esto más adelante, sólo en base a la reflexión y al análisis de la situación. Más adelante, en otro capítulo, está la historia de Matthew Thompson. Gracias a que recordé algo, que había aprendido trece años antes, pudimos cambiar el curso de su vida.

Una verdad importante acerca del conocimiento es que *el cerebro trabaja con más eficiencia a través de la información que se retiene conscientemente*. Recordamos con mayor facilidad lo que deseamos memorizar para el futuro. Cuando alimentamos nuestras catorce mil millones de células cerebrales con información que nos enriquecerá y ayudará a otros, en realidad estamos aprendiendo a pensar en grande.

CONOCIMIENTO

SI HACEMOS TODO LO QUE SEA POSIBLE
POR AUMENTAR NUESTRO CONOCIMIENTO
CON EL OBJETO DE USARLO PARA EL BIEN DE
LA HUMANIDAD,
SE ESTABLECERÁ UNA DIFERENCIA EN NOSOTROS
Y EN NUESTRO MUNDO.

QUINCE

Los libros son para ser leídos

Todo hombre que sabe leer
tiene en su poder la posibilidad de superarse,
de multiplicar las formas de su existencia
de hacer que la vida sea plena,
significativa e interesante.

Aldous Huxley

«¿*Qué edad tenía* Ben Carson cuando se mudaron a Boston?»

«¿Qué regla estableció su madre para él y su hermano mayor Curtis?»

«¿Qué edad tenía el doctor Carson cuando fue nombrado jefe de la unidad de neurocirugía pediátrica en el Johns Hopkins?»

Me pregunto si se imaginan cómo me sentí cuando seis estudiantes vinieron a la tarima y comenzaron a relatar mi vida y enumerar mis logros. Cuando terminaron, otros estudiantes les hicieron preguntas, incluyendo las mencionadas arriba.

Nadie me había advertido que ocurriría eso, de modo que fue para mí toda una sorpresa. Me sentí abochornado, pero inmensamente contento. Los alumnos de la escuela media Old Court de Baltimore habían leído todos los artículos que pudieron encontrar acerca de mí y de mi vida. Esto ocurrió en 1988, casi dos años antes de la publicación de mi autobiografía *Gifted Hands* [Manos dotadas].

Luego, justo antes de que hablara, tenían otra sorpresa preparada para mí.

«Doctor Carson», dijo uno de los estudiantes al leer de un escrito para el que obviamente había trabajado duro.

Según recuerdo, sus palabras fueron algo así:

> Aquí en la escuela media *Old Court* hemos formado el
> «Club de lectura Ben Carson». Recibimos tanta inspira-
> ción por su ejemplo de leer dos libros a la semana y no ver
> más de dos programas de televisión, que hemos formado
> un club en su nombre. Cada uno de los miembros ha
> prometido seguir el modelo que sentó para nosotros.

Terminó leyendo los nombres de los integrantes. El número me sorprendió.

Varias cosas me impresionaron: Primero, que sabían
mucho acerca de mí. Segundo, que me consideraban lo suficiente importante como para buscar tanta información en
cuanto a mi persona. Tercero, y lo que me impactó en lo más
profundo, que me miraban como un modelo. Por unos segundos, prácticamente no supe qué decir. No tenía idea que
me consideraran de tanta influencia en sus vidas.

Casi tan sorprendente, pero igual de agradable, fue que
los estudiantes pensaban en alguien que había logrado cosas
en el área intelectual con el mismo espíritu con que seguirían
a un personaje del deporte o del espectáculo, los únicos a
quienes por tradicción se consideran héroes. Por supuesto,
en parte la culpa es de los medios de comunicación, los que
no siempre han actuado con responsabilidad respecto a la
forma que han presentado a dichos personajes.

Como estos estudiantes de la escuela media (de sexto a
octavo curso) me habían seleccionado a mí, en lugar de
personalidades del deporte, continué pensando: *Estos chicos
pueden hacer algo con sus vidas. Están preparados para desarrollar su intelecto en lugar de aferrarse a las estrellas del rock y del
deporte.*

Estos chicos pueden llegar lejos. Se están encaminando
en la dirección correcta porque han aprendido un importante
secreto que tan pocos parecen conocer en nuestros días: Están
leyendo y la lectura de los libros abre mundos de información
y posibilidades. Me siento honrado de que hayan bautizado
su club con mi nombre.

Además, aunque me he sentido complacido de encontrar en mis viajes a lo largo del país, a muchos estudiantes

que han iniciado o han ingresado a clubes Ben Carson en Filadelfia, Texas y California, no es tan importante para mí que existan estos clubes. Lo que sí es importante es instar a los jóvenes a leer y a estimular el increíble cerebro que Dios les ha dado al nacer.

Para integrar la mayoría de estos clubes los estudiantes deben prometer tres cosas:

1. Leer dos libros por semana.
2. Entregar un informe de cada libro al club, y
3. Limitar el tiempo dedicado a ver televisión.

Algunos de los programas son bastante exitosos. Funcionan casi como las reuniones de los Alcohólicos Anónimos. Los integrantes se estimulan unos a otros y a veces se ofrecen soluciones para dominar la adicción a la televisión, o técnicas para leer con más eficacia. Como conocen el valor de educarse a sí mismos por medio de la lectura, se apartan de entretenimientos superficiales. Por medio de su propia autodeterminación, ahora se concentran en la adquisición de conocimientos.

«Doctor Carson, quería contarle lo que aprendí de mí mismo», dijo uno de los miembros de un club BC. «Nunca pensé que podría aprender tanto y en tan poco tiempo».

«¿Sabe una cosa? Soy tan despierta como cualquier otro en mi clase», dijo una muchacha del octavo curso. «Como no leía bien, pensaba que era un poco estúpida. Ahora entiendo más».

*   *   *

Además de escuchar, acerca de numerosos clubes de lectura Ben Carson en el país, he recibido notas de los periódicos, anuncios escolares y cartas, donde me informan que se han iniciado varios programas de becas Ben Carson.

La más notable de ellas es en la Universidad de Massachusetts, en el Boston Campus. Fui invitado a esa universidad para la inauguración y celebración de un programa que provee becas completas, con todos los gastos pagados, para estudiantes de las minorías, con orígenes desventajosos, destinada en especial a aquellos que no tienen apoyo financiero. Cada año se eligen varios estudiantes para recibir las becas. Todos ellos tienen que demostrar que alcanzan las calificaciones académicas requeridas para el ingreso en la Universidad de Massachusetts.

La particularidad de este programa es que no sólo provee asistencia financiera, sino que también ofrece consejería y servicios sociales, para asegurar que cada uno de los estudiantes complete su educación.

Esta beca adoptó mi nombre en lugar del de algún personaje muerto hace tiempo. Según me dijeron, fue hecho para estimular a los estudiantes y ayudarlos a descubrir que es posible, con gran determinación, trabajo duro y confianza en sí mismo, superar las dificultades que en apariencia parecen insuperables.

Me siento muy honrado por la instauración de esta beca, particularmente porque se dio en una ciudad donde, en cierta ocasión, había vivido en extrema pobreza. Boston es también la ciudad donde mi madre se percató de que podría salir adelante sola y no ser una víctima de la sociedad.

*   *   *

Recibí una carta de una familia en Arkansas, en la que afirmaban haber leído mi historia y que todos en la familia se habían inspirado. La madre, que dependía de la asistencia pública, volvió a la escuela y ahora está procurando un título en derecho. Ambos niños habían sido alumnos mediocres pero ahora han levantado sus calificaciones desde obtener todo regular, deficiente y desaprobado, a tener varios buenos, pero mayormente excelentes. Ambos tienen intenciones de hacer estudios en medicina. Innumerables jóvenes y adultos me han escrito o me han dicho cuando me ven, que mi historia los ha inspirado. Esto me resulta tan gratificante como las operaciones quirúrgicas exitosas.

Estoy orgulloso de ellos porque han comenzado una nueva página en la historia de su vida. Han desarrollado la confianza en sí mismos y saben que su habilidad para leer bien puede abrir cualquier puerta por la que quieran entrar.

*Es principalmente por medio de los libros que disfru-
tamos del intercambio con las mentes superiores[...]
En los mejores libros, nos hablan grandes hombres,
nos conceden sus más preciados pensamientos y
vierten su alma en la nuestra. Gracias a Dios por los
libros. Son las voces de los ausentes y de los muertos.
Nos hacen herederos de la vida espiritual del pasado.
Los libros son verdaderos niveladores. Ellos entre-
gan a todo el que los lee fielmente, la compañía y la
presencia espiritual de los mejores y más grandes de
nuestra raza.*

William Ellery Channing

LIBROS

Aunque podemos aprender de muchas maneras, estoy convencido de que los libros son la mejor fuente para adquirir conocimiento. Aquí hay tres sorpresas que nos proporciona la lectura.

1. La lectura activa y ejercita la mente.
2. La lectura obliga a la mente a discriminar. Desde el comienzo, el lector debe reconocer las letras impresas en la página, convertirlas en palabras, estas en frases y las frases en conceptos.
3. La lectura nos insta a usar nuestra imaginación y nos inclina aún más hacia la creatividad.

En efecto, la lectura nos activa la mente de la misma manera que el levantar pesas lo hace con los músculos. Cuanto más activas estén nuestras mentes, más ágiles se vuelven, lo que determina un mayor nivel de creatividad. Como señaló alguien de manera acertada: «La mente, una vez que ha sido estirada por una idea, ya no vuelve a su dimensión original».

Los sicólogos del desarrollo ahora consideran que el noventa y ocho por ciento de los bebés nacen con capacidad creativa. Cuando analizamos esta teoría, le vemos sentido. ¿Qué otra cosa pueden hacer los bebés que andar por ahí usando su imaginación? Desde sus primeros momentos de vida tienen necesidades. Tienen que desarrollar creativamente, a través de los ruidos y movimientos, formas de comunicar sus necesidades a los padres.

Sin embargo, estos mismos sicólogos del desarrollo estiman que menos del cinco por ciento de nosotros seguimos siendo creativos después de los dieciocho años.

Ser «creativo», según lo entienden estos sicólogos, significa usar la imaginación para producir ideas innovadoras o encontrar nuevas formas de encarar antiguos problemas.

Se me ocurre que los bebés no saben lo que las personas han inventado antes. De modo que no están limitados en su imaginación. Nadie les ha enseñado que patear o mover las puntas de los pies dará un mensaje a sus padres. Me maravilla las formas creativas que encuentran los niños para expresar sus necesidades básicas de alimentos o cambio de pañales.

Sin embargo, quince años después de su nacimiento, muchos de esos mismos niños despiertos y creativos, ahora adolescentes, pasan buena parte de su tiempo mirando la televisión o los videos. Estos ya traen las imágenes y el sonido empaquetados, listos para ellos a la simple presión de un botón. Este estilo de vida les exige poco uso de la imaginación. ¿Por qué habrían de usarla? Todo está hecho *para* ellos, incluyendo cómo vestirse, pensar y comportarse. En consecuencia, no adquieren el hábito de pensar por ellos mismos. Todo cuanto deben hacer es seguir. Incluso cuando hablamos de los llamados programas intelectuales de la televisión, podríamos preguntarnos: *¿Estimulan en realidad el intelecto?* Tengo serias dudas.

Podemos mirar una conferencia de prensa presidencial sin tener ni siquiera que pensar en el mensaje o tratar de analizarlo. Inmediatamente después, el coordinador de una red de noticias lo digiere para nosotros entregándonos un análisis palabra por palabra. Por lo general, el primero que habla hace una pausa para que el segundo comentarista pueda analizarlo más todavía.

Hemos perdido la capacidad de analizar las cosas por nosotros mismos, de pensar a fondo una idea, de usar de manera creativa nuestra mente e imaginación. Últimamente estamos pagando un precio. Si sólo observamos la declinación de la ciencia en este país, podemos ver que nuestra indiferencia hacia la creatividad, en el uso de nuestro intelecto, a largo plazo nos costará un precio mucho más alto.

En la actualidad, de todos los países industrializados del mundo, estamos al final en la lista en cuanto a la capacidad de nuestros estudiantes para asimilar ciencias y matemáticas. Esto se debe en parte a que no las comenzamos a enseñar temprano, a un nivel profundo. Nuestras escuelas están programadas de manera que no lleguemos al verdadero contenido de esas materias hasta la enseñanza media. Para entonces, ya se han desarrollado intereses en otras áreas, por lo general superfluas.

Sin embargo, también tiene parte de la culpa el hecho de haber permitido que la ciencia resulte aburrida y poco relevante. Otorgamos muy poco dinero a la verdadera educación. Preferimos dedicar cada vez más cantidad al fútbol y al baloncesto. Las encuestas sobre programas favoritos (entre los que no son de ficción), favorecen a programas que exaltan *el estilo de vida de los ricos y famosos, los videos familiares más divertidos*, en lugar de otros que estimulan la *ciencia*, la *naturaleza* y las *expediciones*. No encontramos nada sobre aquellos que tratan de mejorar nuestro medio ambiente, proveernos de inventos admirables, aumentar nuestro conocimiento y estimular la investigación para que podamos tener vidas más largas y saludables.

No me opongo al entretenimiento popular. Pero sí insto a un equilibrio. Me gustaría ver a las figuras de autoridad y a las personas con un alto grado de realización proclamar: *¡Lean! ¡Lean! ¡Lean!* Me gustaría que aquellos que ya han llegado a algo, muestren su preocupación tomando la mano de otros y digan: «He aquí el cofre de los tesoros del mundo: la biblioteca pública o una librería».

Las personas con mucha visión o gran influencia en nuestra sociedad tienen la responsabilidad de mejorarla. Por lo general, poseen percepciones significativas en relación a los factores de desarrollo necesarios para el éxito. Es evidente que la adquisición de conocimiento profundo y sólido es uno de los factores importantes que estas personas debieran sentir la responsabilidad de subrayar. No hacerlo es, además de egoísta e irresponsable, imprudente, porque si permiten que la sociedad se deteriore, *sus propios* hijos sufrirán las consecuencias.

Como esta cuestión me preocupa mucho, quiero hacer una afirmación de peso: Si dedicáramos a la educación la mitad del presupuesto que en la actualidad se disipa en deportes y entretenimientos, podríamos proveer educación completa y gratuita para cada estudiante de este país.

Los dividendos que cosecharíamos al final serían fenomenales. Norteamérica volvería a elevarse a la cumbre como nación intelectual. Volveríamos a ser la nación que el resto del mundo procura imitar en términos de creatividad y prosperidad económica.

Al viajar por los Estados Unidos y hablar con líderes y ejecutivos, he observado un simple hecho acerca de la influencia de los libros. Quiero darlo a conocer por su sencillez y las implicaciones que tendría para toda una generación de niños norteamericanos: *Los estudiantes que se destacan académicamente son los que leen mucho.* Sospecho que en realidad hay una correspondencia de uno a uno entre la lectura ávida y los resultados intelectuales. Por lo general, cuando hablo de los libros, pienso en una persona que conocí en Yale, de nombre Kurt. Aunque estaba un par de años más avanzado que yo, me llamó la atención casi desde el momento que entré a la universidad. Había estudiantes brillantes alrededor, pero Kurt sobresalía entre ellos. Recuerdo haberle dicho a Larry, mi compañero de cuarto: «Fíjate en él. Algún día será un político de éxito».

Kurt es de color, alrededor de un metro ochenta de estatura, un tanto fornido y es extremadamente despierto. Usa gafas pequeñas, al estilo Ben Franklin. Fue un excelente jugador de fútbol y se destacaba en todo lo que hacía. Al salir de Yale, Kurt se convirtió en un becario del Rhodes de Oxford, se graduó de la Escuela de Leyes de Harvard y es miembro de la Casa Blanca. Kurt siempre tenía seguidores, no importa dónde se dirigiera. La gente alababa todo lo que hacía.

Después que Kurt se fue de Yale, me concentré en mi carrera y le perdí la pista. Unos años más tarde volvió a su ciudad natal de Baltimore y se convirtió, a los treinta y seis años, en fiscal de estado de la ciudad de Baltimore.

En la actualidad Kurt Schmoke es el alcalde de Baltimore y dudo que se detenga allí.

Admiro enormemente a Kurt, tanto como cuando recién lo conocí hace veinte años. Quizás sea uno de los únicos alcaldes, con tan destacados méritos académicos, que dirije una de las importantes ciudades de los Estados Unidos.

Otra cualidad que admiro en Kurt Schmoke es que está instando al Consejo de la ciudad a adoptar un lema:
BALTIMORE, LA CIUDAD QUE LEE.

Kurt es un ávido lector y hombre de logros intelectuales verdaderamente destacados. Uno de los mensajes que Kurt Schmoke presenta a los jóvenes es: «Lean. Lean libros. Esa es la forma de llegar a algo en la vida». Kurt es una afirmación vívida y poderosa, un agente de gobierno que refuerza y defiende la causa de la lectura.

* * *

Antes de dejar de escribir acerca de libros, quiero hablarles de Harvey y Katherine Wachsman y su familia.

A veces me involucro en asuntos legales, a modo de testigo. En un caso particular estaba defendiendo a otro neurocirujano en el área de Maryland, que tenía un juicio bastante importante. El Dr. Harvey Wachsman era el fiscal. Siendo a la vez neurocirujano y abogado, es el presidente del Colegio Profesional de Abogados de Norteamérica.

Se hizo muy evidente durante el interrogatorio, que este hombre tiene sentido común y es en extremo inteligente y sabio.

He descubierto que testificar o declarar en esos casos es fascinante. Siempre me he adherido al principio de hablar sólo la verdad. Sin embargo, después de decir la verdad, no tengo escrúpulos en permitir que el lado opuesto se cave su propia tumba antes de hablar y corregirlo en algún punto.

Esta fue mi primera oportunidad de ver a Harvey Wachsman en acción. Como me enteré en esa ocasión,

Harvey con frecuencia encara su línea de interrogación con un razonamiento similar. Es decir, permite que los testigos vayan bastante lejos en la vía equivocada antes de señalar los errores o inconsistencias que los puedan desacreditar.

En una ocasión, ambos estábamos conscientes de lo que el otro hacía y nos divertíamos, evitando las trampas de cada cual e igualando nuestro ingenio. Cuando terminé mi declaración, comenzamos a hablar y descubrimos que teníamos muchos intereses en común. Desde entonces nuestras familias han llegado a ser muy amigas.

Algunos podrán preguntar: «¿Cómo pueden ser amigos un neurocirujano y un abogado que atiende casos de mala práctica profesional?» El asunto es que Harvey no persigue casos no meritorios. Dedica buena parte de su tiempo y energías persiguiendo otras injusticias no asociadas a la práctica médica.

También supe que había sido activo en el movimiento de los derechos humanos y se había involucrado en algunas de las luchas en Sudáfrica. Contrario a mucha de la publicidad negativa, que se hace a sus actividades, es una persona muy honrada.

Más impresionante todavía es su enorme biblioteca en casa. Harvey lee con voracidad y sabe virtualmente todo sobre historia. Su esposa, Katherine, que también es abogada, lee mucho. Un hecho que descubrí, la primera vez que disfrutamos de uno de mis juegos favoritos, es que ambos tienen muchísimos conocimientos. Si Harvey y yo jugamos en el mismo equipo, somos invencibles. Siendo un lector ávido, en especial sobre historia, es prácticamente imposible desafiarlo.

Esta sed de conocimientos la ha trasmitido a sus cinco hijos menores, quienes están entre los jóvenes más informados que he conocido. Uno de ellos, David, es uno de los niños que más me han impresionado en la vida. Con sólo *siete* años, David Wachsman es un lector tan ávido como sus padres.

Un día David y yo hablamos acerca de lo que quiere hacer con su vida. Dijo: «Quiero ser jugador de béisbol, abogado, neurocirujano, presidente de los Estados Unidos y escritor. En ese orden».

Es muy probable que el muchacho haga todas esas cosas y en ese orden. ¿Por qué no? A los siete años, David ya sabe más geografía, historia y ciencia que el promedio de los estudiantes de escuela media. Sabe leer y escribir en la computadora. Durante las vacaciones y en las noches en que no hay clases al día siguiente, David suele quedarse hasta la medianoche leyendo. Me maravilla lo que puede hacer un niño cuando se le estimula a adquirir conocimiento.

También quiero agregar que nadie lo presiona. Para David, estudiar es entretenido. En relación a eso me dijo: «Si no me gustara, es probable que dejaría de hacerlo».

Ambos padres de David son una fuente de inspiración para mí y para muchos otros. Harvey Wachsman también ha sentado un ejemplo por ser uno de los que ha comenzado en la vida desde los escalones más bajos de la escalera social. Aunque ahora es un multimillonario, Harvey creció en la zona Bedford-Stuyvesant de la ciudad de Nueva York, uno de los sectores económicamente más pobres de la ciudad.

No había oído hablar de la familia Wachsman antes de que Harvey me consultara como experto en medicina. De modo que me sorprendí al saber que, de manera independiente, habían adoptado un programa de lectura similar al que me estableciera mi madre en quinto grado.

Permite a sus hijos ver muy poca televisión. Antes de que hubieran oído hablar de mí, los Wachsman habían puesto a sus ocho hijos (todos inteligentes) en un programa de lectura de dos libros por semana y la entrega de un informe.

Sencillamente, no hay límite a lo que puede lograr la gente cuando desarrollan su mente y utilizan los libros para adquirir conocimiento.

LIBROS

SI NOS ENTREGAMOS A LA LECTURA
E INCREMENTAMOS ASÍ NUESTRO CONOCIMIENTO,
SÓLO DIOS LIMITARÁ LA DISTANCIA
A LA QUE PODEMOS LLEGAR EN ESTE MUNDO.

DIECISÉIS

Aprender con profundidad

Todo lo que te viniere a la mano para hacer, hazlo según tus fuerzas[...]

Eclesiastés 9.10

Seymour, de dos años, bajaba las escaleras de su casa cuando se cayó. Dio con el piso y quedó tendido, inconsciente. Sus desesperados padres trajeron al niño a la Unidad de Terapia Intensiva Pediátrica del Johns Hopkins. Un rastreo realizado indicó hematomas (coágulos sanguíneos) tanto en la porción media profunda de los lóbulos, como en la del lóbulo temporal derecho.

El médico que vio primero a Seymour supuso que los hematomas eran el resultado de la caída del niño, una conjetura natural. El médico, usando su preparación y conocimientos, comenzó a tratar al niño en forma moderada.

Cuando al día siguiente miré el informe del rastreo comenté:

—Son lugares extraños para hematomas traumáticos. Me parece que deberían estar ubicados un poco más adelante, un poco más hacia el frente del cerebro.

Los otros dos cirujanos que estaban presentes no parecían considerarla una posibilidad significativa cuando les expresé mi idea. Uno de ellos dijo:

—Creemos que la posición de los hematomas corresponde al golpe traumático.

Ese podría haber sido el diagnóstico final excepto que tenía mis reservas. Aunque no podía señalar un texto de medicina que hubiera leído, algo que había aprendido alguna vez me inquietaba. Seguía teniendo una fuerte sensación

205

de que el problema de Seymour iba más allá de los dos hematomas, por serios que fueran. Al final, incapaz de desprenderme de esa sensación, dije:

—Creo que este niño debe ser sometido a un angiograma para que podamos ver los vasos sanguíneos en la cabeza.

—Con toda honestidad, ¿crees eso? —preguntó uno de los otros médicos. Su expresión desconcertada me mostraba que no entendía.

—No me sorprendería si descubrimos que este niño tiene alguna malformación vascular subyacente que provocó el derrame.

—¿Quieres decir que alguna otra cosa provocó la caída, en lugar de que haya sido la caída lo que provocó el derrame?

Asentí.

—No sé por qué, pero tengo una fuerte impresión de que es así.

Después de discutir el caso, aceptaron que tal vez tenía razón. Conseguí que hicieran un angiograma. *Seymour tenía dos hematomas. Había un enorme aneurisma en la base anterior del cerebro, donde estaba el coágulo. Localizamos el otro en el area del lóbulo temporal (asociado a lo que llamamos una fístula AV o fístula arteriovenosa). Pude hacer la cirugía y extirpar el aneurisma. Seymour se recuperó sin dificultades ni contratiempos y ahora tiene cinco años y es perfectamente normal.*

Persistí en que se hiciera esa investigación gracias a un conocimiento con profundidad acerca de dónde se forman los hematomas traumáticos. Ese conocimiento también me dio confianza y me forzó a persistir a pesar de la oposición. Si no lo hubiera hecho, los hematomas quizás se hubieran reducido, eventualmente el niño se hubiera recuperado y hubiera vuelto a su hogar, sólo para que el hematoma volviera a reaparecer. Si ocurría por segunda vez, tal vez no hubiera sido tan afortunado.

No quiero decir que era más inteligente ni más perceptivo que los otros médicos. Relato este incidente únicamente porque es un ejemplo de cómo mi determinación por aprender con profundidad me ha recompensado. Fue durante mi primer año en la universidad de Yale que me comprometí a aprender con profundidad. En la escuela de medicina decidí aprender todo lo que pudiera sobre el cuerpo humano y, no importa qué zona del cuerpo estudiáramos, trataba de aprender todo lo posible.

*   *   *

APRENDER CON PROFUNDIDAD

Aprender con profundidad significa estudiar todo lo posible sobre un tema, penetrar en el conocimiento y la comprensión mismos, como algo opuesto a lo que se estudia por pasar un examen con buenas calificaciones o por tratar de impresionar a la gente.

Al conocer muchos estudiantes inteligentes que no obtienen buenas calificaciones, llegué a la conclusión que en muchos casos se debe a que no aprenden los temas *con profundidad*. Tienden a conformarse con un repaso del material y dicen: «Bah, ya sé todo». No aprenden las cosas con profundidad porque siguen el modelo de aprendizaje de algún otro, en lugar de detenerse y preguntarse: «¿En realidad sé este material?» O bien, «¿Cómo puedo aprenderlo mejor?» Todos aprendemos de distinta forma, por ejemplo:

• Algunos tienen tan desarrolladas las capacidades auditivas que adquieren información con más facilidad por medio del oído que de la vista.

• Otros encuentran que aprenden mejor hablando sobre determinado tema con otro. El diálogo de ida y vuelta agudiza su mente, los hace reflexionar, provoca preguntas y les permite escuchar puntos de vista opuestos.

• Hay quienes aprenden mejor de memoria, por repetición y ejercitación.

• Tengo amigos que en realidad tienen que *hacer* algo en relación al tema, lo que llamamos aprendizaje práctico.

Por supuesto, los alumnos más disciplinados combinan en alguna medida todos estos métodos.

A veces les pregunto a los estudiantes: «¿Cómo aprenden mejor? ¿Cuál de los métodos les resulta más efectivo?» Por lo general, no lo saben.

Si este es su caso, aquí presento una ayuda para descubrir cómo aprender mejor.

Recuerde algunas cosas que haya aprendido bien en realidad, por ejemplo:

- llevar a cabo un experimento de ciencias
- resolver un problema difícil de álgebra
- lograr una sólida comprensión de la Guerra Fría
- ejecutar alguna pieza difícil en el piano

Pregúntese: ¿Cómo es que aprendí estas cosas? ¿Qué método utilicé?

Una vez que haya encontrado la respuesta a estas dos preguntas, ya conoce su principal método de aprendizaje, al que deberá adaptar su situación de estudio de manera que trabaje con la *fuerza* y no con la debilidad.

Por ejemplo, si asimila bien por repetición, no tratará de aprender la estructura ósea del cuerpo escuchando una clase. Es probable que en lugar de eso usará tarjetas. Si es un buen lector, quizás visualizará las cosas que lee.

Para muchos la memoria resultará aburrida, como una herramienta primitiva de aprendizaje. Sin embargo, considere cómo es que muchas personas han aprendido la letra de ciertos himnos patrios o religiosos, repitiendo una y otra vez los cantos.

Mi regla general para aprender con profundidad es: *Comience con métodos que funcionen bien para usted.* Utilice esos métodos para sus principales proyectos de estudio. Luego, refuerce su capacidad de aprender usando algunos de los otros métodos.

* * *

Cuando entré en Yale tuve que enfrentar dos cosas importantes acerca de mí mismo. Primero, aunque podía considerarme una persona bastante despierta, no lo era tanto como creía. Segundo, no sabía estudiar con profundidad.

Mi esquema en la escuela había sido postergar el estudio hasta justo antes del examen, concentrarme duramente por uno o dos días, para más tarde zambullirme a través del examen y después olvidarme de la mitad de la información.

Alguien, quien me dijo que también estudiaba así, agregó:

—Yo estudio mejor bajo presión.

—No, —dijo una tercera persona— es la *única* manera de aprender.

Esa era la manera en que también aprendía, pero cuando llegué a Yale y después a la escuela de medicina, tuve que hacer cambios en mi método de estudio.

Después que por poco fallo en química en el programa preparatorio para medicina de Yale, un curso indispensable para poder seguir en el programa, me preocupé en serio por aprender. *¿Cómo aprendo mejor?*, me pregunté. Aunque hice algunos ensayos y probé diferentes enfoques, para cuando entré a la escuela de medicina, ya tenía un sólido programa de aprendizaje adecuado para mí.

---

*Cuando abrimos un libro, descubrimos
que tenemos alas.*

Helen Hayes

De inmediato descubrí que aprendía mejor por mí mismo y por medio de la lectura de libros. Escuchar clases estaba bastante más adelante en mi lista. Durante los cuatro años de estudio, en la Escuela Médica de la Universidad de Michigan, falté a muchas clases para poder quedarme en mi cuarto sin ser molestado. *Y leía constante e insaciablemente.*

Comenzaba con el material de lectura requerido, luego agregaba otros libros relacionados con el tema. Para obtener una visión con profundidad, quería tener la perspectiva de más de un autor. Si estábamos estudiando el sistema nervioso, utilizaba tres textos distintos, todos buenos, pero cada uno con un enfoque ligeramente diferente.

La mayoría de los días leía desde las seis de la mañana hasta las once de la noche, utilizando todos los textos y materiales relacionados que disponía. Alguien me prestaba las anotaciones de clase y recogía mi copia de todos los apuntes que repartían.

No tardé en darme cuenta que estaba usando el método adecuado para mí. Por una parte, tenía un fuerte sentido de satisfacción interior derivada de poder decirme: *Conozco el sistema nervioso. Entiendo cómo funciona.* Una vez que mis resultados académicos dieron un giro de 180 grados, supe que me había convertido en uno que aprende con profundidad. Insistía en asimilar más que las simples respuestas a las preguntas sobre las que se me examinaría. Quería saber todo acerca del tema.

Cuando aparecía en un examen la pregunta: «¿Cuál es el desequilibrio hormonal que se produce en la enfermedad de Cushing?», no sólo sabía la respuesta requerida, también conocía el mecanismo subyacente al desequilibrio hormonal. No era probable que algún profesor preguntara eso en un examen de la escuela de medicina, pero quería saber todo lo que había, para tener una comprensión más amplia del cuerpo humano. Cuanto más estudiaba, más me convencía de que sería un buen médico. No, eso no es del todo exacto, quería ser el mejor médico posible. Sabía que, para dar lo mejor de mí mismo, tenía siempre que tratar de hacer lo mejor de acuerdo a mis posibilidades.

Más tarde, cuando estaba haciendo mi rotación en neurología, como estudiante de tercer año de la escuela de medicina de la Universidad de Michigan, tuve un jefe de residentes muy exigente en el servicio. Con frecuencia preguntaba a los estudiantes de medicina y a los internos acerca de los mecanismos subyacentes a los procesos de la enfermedad.

Como lo he señalado, en otro lugar, leí mucho durante los dos primeros años de la escuela de medicina, después de descubrir que la lectura es el método por el que aprendo con más facilidad. Uno de los temas, acerca del cual aprendí extensamente, es el sistema endocrinológico del cuerpo. En particular, me concentré en la glándula pituitaria localizada en la base del cerebro y su control del funcionamiento endocrinológico en asociación con el hipotálamo, que es una parte del cerebro.

Un día estábamos examinando un paciente que tenía el síndrome de Cushing (un problema por lo general asociado con el acceso del hipotálamo a la pituitaria). Fui el único en el servicio que pudo dar detalles del mecanismo de este proceso de enfermedad. ¿Cómo había podido hacerlo? Gracias a mi previa lectura con profundidad.

El jefe de residentes me miró, con la boca casi tan abierta como el Sr. Jaeck, mi maestro de ciencias, cuando hablé sobre la obsidiana. Luego sonrió y asintió... largo rato.

Estaba tan impresionado que con posterioridad me dedicó tiempo extra, estimulándome a seguir aprendiendo. Sentí que teníamos una relación especial. «Buen trabajo», me decía. O sonreía mientras me recalcaba: «Sigue adelante».

Hizo mucho para ayudarme a mejorar mi autoimagen acerca de alguien que se iniciaba en la disciplina de las ciencias neurológicas.

Aunque he usado un ejemplo de mi propio trasfondo educativo, he observado personalmente, en una amplia gama de vidas, que el tipo de conocimiento que hace que otros del medio se fijen en nosotros y nos dediquen una atención especial, que después puede adelantar nuestro avance, puede estar relacionado con cualquier cosa que hagamos y quienquiera que seamos.

Por ejemplo, cuando los vendedores de seguros realmente buenos (¡y muy exitosos!) establecen contacto conmigo, conocen bien la línea de la compañía y pueden repetirla sin pestañar. Si, en cambio, hago preguntas a vendedores menos preparados, que implican cierta comprensión profunda o hago preguntas sobre asuntos que están por detrás del catálogo de estadísticas, no saben qué decir. En lugar de admitir su ignorancia y decir: «Lo voy a averiguar y volveré a verlo», lo empeoran tratando de ofuscarme con palabras o saltando a otro punto.

Esta conducta se da por igual en operarios de computación, mecánicos, personal médico o dependientes de almacenes.

Algunos de estos estudiantes tipo superficiales fueron mis compañeros en la escuela media, la universidad y la escuela de medicina, que aprendían sólo lo que *tenían* que saber para pasar de año. Cuando se les presionaba para que aprendieran más, se apoyaban en la gastada idea de que no era un conocimiento práctico o una información relevante.

«De todas maneras nunca utilizaré esto», dicen con tanta seguridad que me pregunto cómo lo saben.

Incluso hoy, más de veinte años después, puedo escuchar a mi hermano mayor, Curtis, protestar. Mientras que era muy bueno para las matemáticas, no le entusiasmaban la geometría ni las figuras geométricas. Más de una vez lo oí quejándose de su tarea de geometría porque los problemas eran muy difíciles y no parecían particularmente relevantes. Por fortuna, mamá se aseguró de que Curtis persistiera a pesar de sus protestas. «Apréndelo mejor que nadie en tu clase», le decía mamá.

Curtis, quien nunca se dejó atrapar por la presión de los compañeros, como me ocurrió a mí, siguió con la geometría, obtuvo un sobresaliente ese semestre y aprendió bien los temas de ese curso, aunque no estaba de acuerdo en que los resultados serían de suprema relevancia para su vida.

Hoy Curtis es un exitoso ingeniero que diseña frenos para aeroplanos en una importante firma de ingeniería. Su trabajo le exige utilizar una amplia variedad de fórmulas geométricas y habilidades analíticas. Para la época en que estaba aprendiendo geometría, Curtis, quien más tarde asistió a la Universidad de Michigan, no tenía idea de que esas habilidades y conocimientos serían un requisito para entrar en ese campo.

Lo que mi hermano hace ahora me maravilla. Tiene un estupendo conocimiento en ingeniería y sería el primero en admitir que aprender no siempre es fácil, no siempre es divertido ni atractivo, pero *es* necesario. Aunque Curtis no tenía idea de que sería ingeniero, cuando estaba aprendiendo geometría en la escuela media, igual persistió. No sólo aprendió lo que decían los textos o enseñaban sus profesores, sino que asimiló información adicional para que algún día pudiera extraer esos conocimientos para ayudarlo a moldear su vida. Curtis es un ejemplo de lo que denomino la práctica de aprender con profundidad. Obtener una base sólida, de todo lo que se nos presenta para aprender, puede ser una puerta para carreras de éxito.

Otra realidad importante es que a menos que hagamos un intento para aprender todo lo que podamos, tal vez nunca descubramos si el asunto entre manos es algo para lo cual tenemos verdadero talento. No podemos permitirnos ser prejuiciados respecto a algún tema, basados en lo que otro ha dicho o simplemente en la dificultad que encontramos para aprender.

Recuerdo a Eric, un compañero de la escuela media. Como jugaba al fútbol, la mayoría de nosotros lo miraba como al atleta macho. Ninguno de nosotros pensaba en él como alguien inteligente en particular. Unos pocos habíamos notado que tenía cierta aptitud para las matemáticas (de todas maneras quizás nunca lo expresamos). La verdad es que Eric tenía un increíble don para entender y disfrutar de las matemáticas. Si alguna cosa implicaba ecuaciones, Eric se inclinaba hacia ello. No era particularmente bueno en otras materias, pero descubrió su área especial de capacidad y la cultivó.

Algunos de los demás jugadores del equipo de fútbol estaban tan ocupados viviendo el papel estereotipado de atleta sin cultivar, que despreciaban incluso a cualquiera que insinuara interés en lo académico. Por suerte para él, Eric no escuchaba a sus compañeros. De haberlo hecho, nunca hubiera descubierto el significativo talento que Dios le había dado.

La última vez que supe de Eric había ganado una beca en matemáticas para una universidad de Michigan. No sé lo que está haciendo ahora, pero estoy seguro que no anda por ahí corriendo sin destino. Supongo que está haciendo un destacado trabajo en el campo para el que tiene tan obvio talento.

Tal vez tengamos que explorar un poco. Tal vez necesitemos seguir diversos canales para descubrir dónde residen nuestros talentos. Tenemos que procurar el conocimiento con profundidad para que podamos ser más eficientes en nuestro trabajo y en las metas de nuestra vida.

* * *

Como el Johns Hopkins se ha ganado la reputación de ser un hospital de enseñanza, de primera clase e internacional, con frecuencia atendemos niños de cualquier punto de

los Estados Unidos, México y Canadá, lo mismo que de muchos
otros lugares del mundo. Por lo general, los niños que vienen
aquí, fuera del área de Baltimore, son aquellos con problemas
sumamente difíciles, que han sido examinados con anterioridad y tratados por sus propios médicos. Muchos de los
médicos hacen un trabajo excelente. Pero la enfermedad
particular de su paciente está fuera de su campo de perfeccionamiento o tal vez no tienen el equipo necesario para el
tratamiento. Entonces delegan sus pacientes al Hopkins.

Afortunadamente he podido encontrar soluciones para
muchos de los problemas que atiendo en la clínica de neurocirugía pediátrica. Ni por un momento pienso que se debe a
que sea más inteligente que ningún otro o más lúcido que
aquellos médicos que nos remiten sus pacientes. Más bien es
que tenemos ventajas en el Hopkins porque es un hospital
de enseñanza y un centro de investigaciones que está al
corriente de los últimos avances en nuestro campo. Habitual-
mente, antes de que lleguen los pacientes y sus familiares,
Carol James habrá evaluado a fondo la situación y yo habré
estudiado la historia clínica. En ocasiones, consulto con otros
en el Hopkins cuyas opiniones profesionales respeto, aquellos que dan lo mejor de sí a su trabajo.

Con asiduidad, al tratar a pacientes de Francia o de Utah,
he descubierto que es simplemente cuestión de sentarse con
las familias y escuchar con atención. Al escuchar, otra parte
de mí comienza a recordar situaciones médicas similares en
las que he estado implicado o sobre las que he leído. Cada
vez echo mano de una amplia reserva de conocimientos y
experiencia, para tratar de unir todos los factores.

En casos difíciles, además de escuchar con atención al
paciente y su familia, me tomo el tiempo para asimilar todo
por mí mismo. Reflexiono, luego echo mano de lo que he
aprendido en el pasado para poder encontrar una solución.

Una parte de hacer esto viene de pedir a Dios que me
conceda entendimiento, para poder detectar los elementos
importantes y no distraerme con los aspectos menos significativos.

Estoy convencido de que en mi campo, y sospecho que
esto se aplica a casi cada área del quehacer humano, necesito

tener una perspectiva para cada nuevo desafío. Teniendo una sólida base de conocimientos, sobre la cual trabajar, obtengo una mejor perspectiva.

Por más fuerte que es mi creencia en Dios, nunca he dicho: «Dios me va a dar todas las respuestas». Dios guía. Él anima. También tengo un alto respeto por ese dicho no bíblico: «Dios ayuda a quien se ayuda a sí mismo».

Dios nos ayuda:

— animándonos a usar nuestra inteligencia
— instándonos a aprovechar las oportunidades para aprender
— inspirándonos para que adquiramos las habilidades necesarias y el conocimiento requerido para trabajar eficazmente en cualquier área que hayamos escogido como profesión.

Recuerde:

CONOCIMIENTO CON PROFUNDIDAD

SI DESARROLLAMOS EL CONOCIMIENTO
CON PROFUNDIDAD,
PODREMOS DAR LO MEJOR DE NOSOTROS
Y AYUDAR A CONSTRUIR UN MUNDO MEJOR.

DIECISIETE

Cuidado: Dios en acción

*Se han forjado más cosas por la oración
de las que este mundo sueña.*

Tennyson

«¡*Código azul!*», gritó el anestesiólogo.

Hasta ese momento la cirugía en el cerebro de Cristina había andado bien. Había extraído de manera parcial un tumor que estaba invadiendo el tronco cerebral de la niña de cuatro años. Sin ninguna advertencia entró en un paro cardíaco.

Repentinamente, el quirófano se aceleró con los movimientos a mi alrededor. Teníamos que establecer un conducto para el aire por resucitación boca a boca o colocando un tubo de oxígeno en la tráquea.

Alguien tenía que conseguir que volviera la circulación. Con frecuencia esto implica proporcionar un shock eléctrico al tórax en un intento de reestablecer el ritmo cardíaco normal. Sin tiempo que perder colocamos los sujetadores en la piel. Por lo general, agregamos varias drogas para ayudar a la capacidad de latir del corazón y para neutralizar los desequilibrios químicos de la sangre causada por el paro.

¡*No!*, pensé. *La vamos a perder.*

En los pocos segundos que siguieron, aunque pareció mucho más tiempo, el pánico corrió por la sala esterilizada. Una de las enfermeras hizo un llamado a los demás anestesiólogos por el intercomunicador.

Oraba en silencio a medida que mis manos se movían con rapidez: *Señor, no entiendo qué está pasando, ni qué ha provocado esto. Por favor, Dios mío, arréglalo.*

217

Luego mis manos sujetaron con firmeza el frágil cuerpo de Cristina. Tenía que darle vuelta para bombearle el pecho (lo que no se podía hacer desde atrás sin dañar la columna). Hice una pausa momentáneamente antes de volverla. En un instante, su corazón volvió a latir. «Gracias, Señor», dije en voz alta. «No sé lo que ocurrió, pero está claro que tú lo hiciste». Pudimos continuar sin ninguna otra dificultad.

Nunca entendimos qué fue lo que pasó. Tal vez no importa. Lo que sí importa es que estoy convencido de que Dios escuchó mi oración e intervino en la pequeña Cristina. Esto no quiere decir que cuento con obtener un milagro cada vez que algo anda mal. Sigo el simple principio de que:

Dios se interesa por cada área de nuestra vida,
y quiere que le pidamos ayuda.

Es fundamental que pidamos a Dios que intervenga en nuestra vida. En especial cuando llegamos a un punto en que no podemos hacer nada más. Como reconozco la importancia de Dios en mi propia vida, he decidido hablar acerca de Él en este capítulo.

DIOS

Por supuesto, hay otros motivos. Algunas personas no sienten necesidad de Dios, tal vez porque están tan orgullosas de sí mismas y sus habilidades, que piensan que no necesitan otra cosa.

Recuerdo que durante mi residencia uno de los cirujanos tenía una opinión extremadamente pretenciosa de sus habilidades. También muchos de los médicos no cirujanos lo consideraban el único capaz de realizar cierto tipo de procedimientos sin complicaciones importantes.

Su actitud autosuficiente parecía expresar: «La gente me complace y me honra». Cuando las cosas no se hacían exactamente como él requería, se ponía furioso.

Con frecuencia, cuando salía del quirófano, la enfermera de limpieza y las auxiliares se quedaban temblando o sollozando. Parecía disfrutar con aterrorizar a los residentes como si esa fuera la mejor forma para que aprendieran.

Cuando fui adquiriendo más experiencia, supe que las operaciones que él realizaba bien podían ser igualadas por otras personas. Con una morbidez o mortalidad igual de baja (si no más) y en un tiempo mucho más reducido.

Al volver a pensar en ello creo que parte de su conducta surgía de su sentido de inseguridad en cuanto a sus propias habilidades y su falta de autoestima. Por lo general, observo que cuanto más seguras de sus habilidades están las personas, menos obligadas se sienten de hablar a otros acerca de sus logros. Necesito esa clase de confianza en mí mismo para tratar con el problema de los celos profesionales que surgen cada vez que alguno recibe la publicidad que yo he recibido a una edad tan joven y en un campo como la neurocirugía.

No importa lo que uno hace en un campo como este, si se adquiere fama, invariablemente aparecen personas que nos acusan de robarle sus pacientes, de tener hambre de publicidad o de ser un charlatán. He recibido sólo una carta ofensiva de un colega, pero algunos amigos han escuchado comentarios hirientes y desagradables de parte de otros colegas.

En algún momento de nuestra vida todos hemos sentido el aguijón de la crítica injusta. Ese es el momento en que podemos decir: «Dios mío, estoy haciendo lo mejor que puedo. Dame tu paz». Y Dios *está* ahí con nosotros.

Afortunadamente he recibido muchas más cartas positivas y estimulantes que negativas, de parte de mis colegas. Parece que las personas que están confiadas y cómodas con lo que están haciendo se alegran de mi éxito, mientras que aquellas que están sobre terreno movedizo tienden a estar predispuestas en mi contra. Como sé que lo que hago es para mejorar nuestra sociedad y para el beneficio de mis pacientes, no me molestan los comentarios negativos.

Cuando algunas personas comienzan a experimentar cierto grado de éxito, se vuelven excesivamente confiadas en sus propias habilidades. Actúan como si nadie más en el mundo pudiera hacer lo que ellos hacen. Es decir, se forman un sentido exagerado de su propia importancia y se vuelven engreídos. Hacen que sea difícil, para la mayoría de la gente, trabajar con ellos.

Por lo general, estas personas infladas de orgullo también dejan de aprender. ¿Para qué habrían de hacerlo? ¿Acaso no saben ya (o suponen que lo saben) todo lo relacionado con su campo? A pesar de su talento dejan de ser útiles. Tienden a hacer poca cosa que no sea pensar en sí mismas. En lugar de cantar el himno que dice: «¡Cuán grande es Él!» sus palabras suenan como «¡Qué grande soy!»

Me pregunto si Salomón tuvo que luchar contra el orgullo y la propia exaltación a causa de su brillantez. Tal vez esa es una de las razones de que hable tanto en los Proverbios contra el orgullo, advirtiéndonos contra el engreimiento:

> Tras el orgullo viene el fracaso; tras la altanería, la caída (16.18, VP).

> El orgullo acarrea deshonra; la sabiduría está con los humildes (11.2, VP).

> Al que es orgulloso se le humilla, pero al que es humilde se le honra (29.23, VP).

> Ojos altivos, mente orgullosa; la luz de los malvados es pecado (21.4, VP).

En contraste, Proverbios habla también sobre la humildad y nos advierte a no sobreestimarnos. Ser humilde no significa rebajarse y andar diciendo a todo el mundo que no valemos nada, ser humilde es saber quiénes somos y lo que Dios está haciendo y ha hecho en nuestra vida.

He desarrollado una fórmula sencilla para entender la humildad:

SI RECONOCEMOS QUE:

1. Dios ha creado este universo, incluyéndonos a nosotros

y

2. Dios tiene mucho más poder que nosotros por lo que hace y ha hecho en nuestro mundo

y

3. Dios nos da a cada uno habilidades que no podemos proveernos nosotros mismos ni explicar que seamos dignos de recibirlas, ENTONCES SOMOS HUMILDES.

Esta comprensión básica de quiénes somos con relación a Dios, nos permite mantener la perspectiva. Si entendemos que Dios es una persona poderosa y a la vez amante, nos volvemos más considerados con otros. Reconocemos que debemos tratar a otros seres humanos de la forma en que nos gustaría ser tratados. Cuando veo gente humilde, equiparo su humildad con la santidad.

En mi vida he conocido algunas personas santas que me han impresionado. Tres de ellas son bien conocidas, que me vienen a la memoria en representación de lo que es una actitud santa.

1. *Wintley Phipps*

Al comienzo de mi lista está Wintley Phipps, el cantante evangélico que cantó en la clausura de las últimas dos convenciones democráticas nacionales. Con su profunda y melodiosa voz de bajo, Wintley ha aparecido en muchos programas de televisión y es muy respetado por otros músicos. Por ejemplo, ha cantado en el casamiento de gente famosa como Diana Ross. Una persona que puede hacer grandes cantidades de dinero con su enorme talento dice: «El dinero no es lo primero en mi vida. Dios está primero y nunca comprometeré mis principios».

Wintley lo ha demostrado muchas veces, con el tipo de música que elige, cantando sólo aquellas canciones que considera fieles a sus principios. La mayor parte del dinero, que ha ganado con sus grabaciones para el evangelio, vuelve a la iglesia misma. Con el producto de sus grabaciones y conciertos, por ejemplo, Wintley ayudó a restaurar un templo famoso, pero destruido, en el área de Washington, D.C.

A pesar de todas las cosas que había oído acerca de Wintley, el verdadero impacto que es su vida se me aclaró cuando lo conocí personalmente. Con sólo estar con él, me di cuenta que está pensando de continuo en su relación con Dios.

2. George Vandeman

Otra persona sobresaliente que me ha impresionado a causa de su intimidad con Dios es George Vandeman. Ha predicado, por más de cuarenta años, en la radio y televisión en un programa llamado: *Escrito está*. Su trasmisión se ve en todas partes en este país y en Europa. También se difundía en el bloque de naciones orientales mucho antes del *glastnost*. Ahora se escucha en la China.

Sin embargo, a pesar de todos sus logros (y son muchos) sigue siendo una persona humilde. Porque George sabe de dónde viene su capacidad y hace todo en silencio y sin fanfarria. Habla con suavidad, es práctico, no enjuiciador, uno de los hombres más buenos que he conocido.

3. Robert Schuller

La tercera celebridad que me ha impresionado es Robert Schuller, que me invitó a hablar en la Catedral de Cristal, el «Día de los padres» en 1989. Schuller, bien conocido por la televisión y por sus libros muy vendidos, es amigable y humilde. Parece tener tiempo para todos.

Al conversar con el Dr. Schuller, se me hizo claro que ambos poseíamos la filosofía acerca de nuestras capacidades innatas, las que debemos desarrollar por medio del pensamiento positivo. Algunas personas se han valido de afirmaciones del Dr. Schuller y las han manipulado, de manera que parece que dijera que, a menos que las personas sean grandes realizadoras, carecen de importancia. En realidad quiere decir, y yo afirmo lo mismo, *que todos somos valiosos porque Dios nos ha creado*. Nuestra responsabilidad es desarrollar cualquier potencial que tengamos, no importa hacia dónde nos lleve en la vida.

¿Por qué no ser un excelente guardián? ¿Un preparador de hamburguesas de primera para una cafetería de camino?

*   *   *

Dios es importante en mi vida. Por supuesto, en parte se debe a que mi madre me llevaba fielmente a la iglesia. La iglesia no era una opción, sino parte del estilo de vida de nuestra familia. Y lo sigue siendo.

Mientras crecía, no contaba con muchos adultos varones que me sirvieran de modelo, ya que mis padres se habían separado cuando tenía apenas ocho años. Por eso, los héroes de la Biblia se convirtieron en mis héroes, así como en modelos para mi vida. Aprendí acerca de Cristo Jesús que dio su vida por los demás, sintiendo su dolor, preocupándose por su sufrimiento.

Solía pensar con frecuencia en Daniel y los tres muchachos hebreos que creían en Dios y se aferraron a sus principios, incluso cuando el rey trató de matarlos.

El héroe con el que más me identificaba era José, del Antiguo Testamento. Tal vez porque tuvo que enfrentar al mundo sin su familia. Solía cavilar sobre el tiempo en que estuvo solo y en la cárcel en Egipto, por culpa de que sus celosos hermanos lo habían vendido como esclavo.

En algún momento de mi infancia, y estoy seguro que debe haber sido después que comencé a mejorar en la escuela, creí sinceramente que Dios era capaz de tomar a una persona en cualquier circunstancia y hacer algo con su vida. José comenzó en la esclavitud, pero se convirtió en primer ministro de Egipto. No es un mal modelo, ¿verdad?

No importa de dónde venimos o lo que parecemos. Si reconocemos nuestras capacidades, estamos dispuestos a aprender y a utilizar lo que sabemos para ayudar a otros, siempre tendremos un lugar en el mundo.

Comienzo cada mañana en oración y leyendo la Biblia, en especial los Proverbios. Oro y leo Proverbios cada noche. A lo largo del día, con frecuencia pido al Señor que me dé sabiduría para utilizar los conocimientos que tengo, para que me dé perspectiva y entendimiento, particularmente cuando surgen situaciones difíciles.

Dios no sólo me da esas cosas, sino que junto a ellas, una confianza en que lo que estoy haciendo es correcto. Esa confianza es contagiosa.

*   *   *

Quiero contarles la historia de Matthew Thompson, de Estes Park, Colorado. A la edad de once años se le diagnosticó un carcinoma de plexo coroideo, un tipo extremadamente raro de tumor cerebral. Como era vascular, los cirujanos habían podido extraer apenas lo suficiente como para una biopsia. Matthew comenzó entonces la lucha para superar la parálisis de la mitad de su cuerpo, además de una gran cantidad de otros problemas neurológicos. Asimismo, lo sometieron a radiaciones y quimioterapia. Como otros que son conscientes de que sus tumores malignos persisten, enfrentaba la incertidumbre de la vida. La máxima expectativa de vida que se le daba era un año.

Sin embargo, Matt sorprendió a los entendidos. Durante nueve años luchó contra su enfermedad. Más de una vez sus médicos le dijeron que no había nada más que pudieran hacerle. «Sólo observen», dijo uno de ellos. «Monitoreen el tumor. Otra cirugía sólo desparramará el cáncer o causará un daño cerebral».

En determinado momento la familia viajó a Grecia para probar unos tratamientos especiales contra el cáncer que no se realizaban en los Estados Unidos. Por un tiempo, mejoró.

A comienzos de 1990 el tumor comenzó a crecer de nuevo. A causa de las dificultades que habían tenido los médicos para operar el tumor la primera vez, se mostraban reticentes a atacarlo quirúrgicamente. La familia comenzó a buscar otras opiniones por el país. Fue allí cuando contactaron nuestro consultorio y hablaron con Carol James. Luego nos enviaron la historia médica y las radiografías de Matt.

Los otros médicos llegaron a la conclusión de que el tumor era maligno, no extirpable y ubicado en un lugar de muy difícil acceso. Después de estudiar las radiografías con cuidado, vi una oportunidad para Matt. Mostré las radiografías a Don Long. «Creo que hay una buena probabilidad de que podamos usar la huella dejada por la cirugía anterior para llegar al tumor».

Don confirmó mi opinión. Utilizando una técnica microscópica y rayos láser, tuve bastante seguridad de que podríamos llegar a extraer la lesión.

Más aun, sentí que había una posibilidad de que el diagnóstico original estuviera equivocado. Matt había sobrevivido ocho años, lo que hubiera sido muy improbable para ese raro tipo de carcinoma. Matt tenía ahora diecinueve años.

Hablé con sus padres, Curt y Pat Thompson, por teléfono.

—Sí, creo que es posible atacar quirúrgicamente este tumor. También creo que hay una buena posibilidad de que podamos extirparlo.

—¿Y qué... pasará después?

—Creo que potencialmente podría sobrevivir con un mínimo déficit neurológico.

—¿Quiere decir que estaría curado? ¿Normal? —preguntó Curt.

—No puedo prometerlo, pero hay una buena probabilidad de que Matt pueda vivir normalmente.

Esta gente había tenido varios impactos en su vida por pensar que Matt se había curado, sólo para ver que el tumor había regresado. Después de su viaje a Grecia habían estado seguros que su hijo estaba curado. Ahora el tumor había vuelto a crecer.

—Oh, gracias —dijo Pat Thompson—. Después de escuchar tantas predicciones de que...

—Si hay alguna posibilidad —señaló Curt— queremos probar, Dios ayudará.

Los Thompson eran cristianos devotos y oraron con fervor por el asunto.

—Creemos que Dios nos ha guiado a Baltimore —dijo Pat— y directamente a usted para esta operación.

Durante la operación, que resultó muy difícil y llevó ocho o nueve horas, tuvimos ocasión de extirpar el tumor. Matt comenzó a recuperarse.

Posteriormente desarrolló numerosas complicaciones que incluían meningitis, temblores, fiebres, desorientación, alucinaciones e inestabilidad de la presión sanguínea y del pulso. Muchas consultas médicas no pudieron determinar la razón de su deterioro. Al final, la opinión de los médicos era que moriría.

Eso era doblemente trágico porque habíamos estado muy estusiasmados por haber podido extirpar el tumor. Oré pidiendo una solución del problema, ya que no podíamos entender qué estaba sucediendo. No recibí ningún esclarecimiento.

Un fin de semana, justo cuando estaba por irme de la ciudad, tuve una fuerte sensación de que Matt no estaría vivo a mi regreso. Repentinamente recordé que trece años antes había visto una situación similar en un anciano al que se le había extirpado la próstata. Este hombre carecía de esteroides en su sistema y había reaccionado de manera muy similar a la que Matt estaba respondiendo unas tres semanas después de la cirugía.

Ordené de inmediato que se le administrara una buena dosis de esteroides y se continuara durante el fin de semana. Cuando volví de mi viaje, Matt parecía una nueva persona. En realidad, estaba sentado en la cama y conversando con sus padres. Continuó experimentando una excelente recuperación.

Más de un año después de la cirugía, Matt ha vuelto a trabajar y tiene una nueva oportunidad en la vida. Si hubiera estado preocupado por no herir el ego de otros neurocirujanos o por el riesgo del fracaso, o no hubiera pedido la guía de Dios (aunque sé que Él me ayudó a recordar el caso del anciano ocurrido trece años antes), la historia de Matt hubiera terminado considerablemente distinta. En mi mente no hay duda alguna de que cuando encaramos una situación con confianza, tenemos muchas más posibilidades de tener éxito y alcanzar los objetivos.

Si un jugador de béisbol se para en la cancha diciendo: «Ese lanzador siempre me hace errar la pelota, no tengo ningún chance». No es probable que pueda llegar a la base. Pero si se dice: «Puedo atajar los lanzamientos de este tipo, no importa cómo lance la pelota», está en muchas mejores condiciones de lograrlo.

* * *

En cuanto a mi fe en Dios quiero expresar algunos pensamientos sinceros que pueden sonar simplistas o irreverentes. A medida que sigo desarrollando mi relación con Él, he descubierto que Dios es colosal.

Confieso que mientras iba creciendo, me había hecho una idea de Dios como un individuo serio, muy ocupado anotando en un libro cada error que cometemos, para que en el día del juicio final nos llamara uno por uno diciendo: «¿Por qué hiciste esto? Sé que lo hiciste», para después divulgar las acciones indignas de nuestra vida a todos los presentes.

Lentamente he ido madurando y experimentado la ayuda de Dios en muchas crisis. He llegado a comprender que Dios no nos quiere castigar, sino más bien, *colmar* nuestra vida. Dios nos creó, ama y quiere ayudar a desarrollar nuestro potencial para que podamos ser de utilidad para otros.

La relación que Dios quiere tener conmigo se hizo particularmente clara después que Candy y yo tuvimos nuestros propios hijos. Comprendí cuánto amo a mis hijos y todo lo bueno que quiero para ellos. Por supuesto, deseo que tengan éxito, por ello anhelo darles todo lo que esté a mi alcance para hacerlos felices. Sé que Dios me ama aun más de lo que yo amo a mis hijos. No puedo darles todo, pero intento organizar su medio para que puedan aprender a pararse sobre sus propios pies, respetar a otros y convertirse en ciudadanos valiosos.

Si les prodigo absolutamente todo, nunca llegarán a esas metas. Pero mientras mis hijos sepan que los amo, que estaré con ellos respaldándolos y haciendo todo lo que esté a mi alcance para que tengan éxito en la vida, siento que he hecho lo mejor posible por ellos. Desarrollarán confianza en mi amor por ellos y sabrán que sólo quiero su bien.

Al considerar mi relación con mis hijos, se me aclara la relación que Dios quiere tener conmigo y con todas sus criaturas.

Cuando nos apoyamos en nuestra relación con Dios nos convertimos en personas más capaces. Abogo por vivir con una sencilla filosofía: *Haz lo mejor que puedas y permite que Dios haga el resto.*

*   *   *

Permítanme narrar otros dos incidentes. En una oportunidad en que estaba operando muy dentro del cerebro, se desprendió una arteria en una zona que no podía ver. Esto provocó un profuso sangramiento. Como no veíamos de dónde venía la sangre, parecía que íbamos a perder al paciente. Sin haberlo decidido, en forma consciente siquiera, comencé a orar pidiendo la ayuda de Dios. He aprendido a actuar por intuición en esas emergencias.

Entonces hice algo que, al tratar de expresarlo, parece prácticamente irracional. Coloqué el forceps bipolar, en el charco de sangre, en el lugar desde donde podría estar manando la sangre. Comenzó a extraerla. Supliqué: «Dios mío, tienes que parar esta hemorragia. Por favor, no la puedo controlar».

Extraño como parece, en ese instante cesó la hemorragia sin que jamás pudiera localizar su causa. Después de eso, el paciente se despertó y recuperó por completo.

En otra ocasión tuvimos un hombre de las Bermudas que tenía neuralgia trigeminal (una condición sumamente dolorosa de la cara causada por una irritación en el quinto nervio craneal). Antes de que hubiera métodos para tratar esta condición, muchos pacientes cometían suicidio a causa del dolor permanente.

Tenía que colocar la aguja en un punto excepcionalmente pequeño en la base de su cráneo y hacerla llegar al nivel del ganglio. Este proceso requiere una destreza en la que había desarrollado una gran eficiencia durante mis días como estudiante de medicina. Sin embargo, ese día en particular, no podía hacer entrar la aguja en el minúsculo hueco. Había estado intentando hacerlo durante casi dos horas, antes de que se me ocurriera que quizá debía renunciar.

Justo antes de abandonar oré: *Señor, no puedo hacer entrar la aguja. No hay forma. Voy a tomar la aguja y empujar una vez más. Quiero que la guíes, porque no puedo hacerlo.*

Tomé la aguja, la empujé y entró directo por el hueco, como si tuviera voluntad propia. Me invadió una profunda sensación de gratitud.

Siento que es un tanto arriesgado relatar un incidente como este, porque casi puedo oír a los escépticos decir:

«Vamos, Ben, eso es ridículo. ¿Cómo se te ocurre decir algo así?»

Sin embargo, para mí *no* es absurdo. Es lo que espero que ocurra. Al hablar con otros cirujanos cristianos he descubierto que algunos lo entienden porque han experimentado momentos similares en que Dios guía sus manos.

Cuando desarrollamos una relación con Dios y creemos que es Él quien obra a través de nosotros, todavía tenemos momentos en que podemos sentirnos impotentes y es ahí cuando Dios tiene la oportunidad de hacer algo por nosotros. Esto ocurre cuando damos lo mejor de nosotros, lo que, en ese momento en particular, no parece ser suficiente. Ya estamos a punto de abandonar y decimos en voz alta o en silencio: «Señor, no puedo más. *Te* necesito».

En esos momentos le damos a Dios la oportunidad de responder. Verdaderamente: «Lo que para el hombre es el final, para Dios es el comienzo».

DIOS

SI RECONOCEMOS NUESTRA NECESIDAD DE DIOS, ÉL NOS AYUDARÁ.

DIECIOCHO

En busca del éxito

El amor propio, mi vasallo, no es un pecado tan vil como el autodesprecio.

Shakespeare

Marian era una violinista exitosa y muy talentosa para el piano y el órgano. Vino a nosotros con el diagnóstico de un severo síndrome de dolor en la cara. Pensamos que habíamos encontrado una lesión en una zona del cráneo. Aunque estaba en un punto de difícil acceso, suponíamos que quizás era la causa de su dolor. Don Long y yo la operamos juntos.

En el período postoperatorio se le desarrolló una notable hinchazón en el lóbulo temporal derecho (del lado derecho del cerebro), una zona muy asociada a las habilidades artísticas. La inflamación se extendió al lóbulo parietal (también relacionado con la habilidad musical).

Esa misma noche tuve que intervenir haciendo una lobotomía temporal, una operación en la que se extirpa parte o todo el lóbulo temporal del cerebro. No sabía si Marian sobreviviría y su situación me preocupaba profundamente.

Cuando comprendimos que viviría, respiramos más aliviados. Mi siguiente preocupación era en relación a su habla y funciones motoras. De manera gradual las fue recuperando.

Progresaba tan bien, que sólo quedaba un área de preocupación: su habilidad musical. Como le habíamos extraído parte del lado derecho del cerebro, Don Long y yo nos preguntábamos el uno al otro: «¿Se habrá dañado su habilidad musical?» Todo indicaba que ya no dispondría de habilidades musicales significativas.

231

«Entiendo», dijo Bob, su esposo, cuando escuchó nuestro pronóstico acerca de la incapacidad para la música. Bob es pastor y toda la familia es muy creyente. Oraban constantemente por la mejoría de Marian. «Hemos estado orando por eso», dijo mientras acariciaba la mano de su esposa y le sonreía. «Ambos estamos seguros que con el tiempo recuperará sus habilidades, incluso la capacidad para la música».

Les había dado mi opinión desde el punto de vista médico, de modo que no dije mucho más. Como nunca quiero privar a la gente de su esperanza, en realidad no sabía qué decir.

Seguimos hablando y recuerdo que Bob dijo: «Si el Señor quiere que siga gozando de esa habilidad musical, no importa lo que hayan tenido que extraer para salvarle la vida. Seguirá teniéndola».

Poco después Marian volvió a casa. Para mi sorpresa, pasados varios meses de rehabilitación, retornó una vez más a su música. No sólo recuperó su excelente habilidad para el violín, sino que pudo volver a tocar el piano y el órgano tal como lo hacía antes. Para que el milagro fuera más notable aún, el dolor había desaparecido por completo.

La historia de Marian trae a mi memoria la de Beth, la niñita de Connecticut. En 1987, Beth fue sometida a una hemisferectomía (extirpación de la mitad de su cerebro por alguna enfermedad incurable). Si no se hubiera hecho la cirugía, eventualmente hubiera muerto o terminado en una institución. Como habíamos extirpado la mitad izquierda del cerebro de Beth, nos preocupaba si su capacidad para las matemáticas hubiera sido dañada.

—Tendremos que esperar y ver —les dije a sus padres.

—Está viva y bien —afirmó su madre—. Es más de lo que esperábamos cuando la trajimos aquí.

Lo último que supe acerca de su familia, tres años después de la operación, era que Beth se había convertido en la mejor alumna de matemáticas en su clase.

Los casos anteriores señalan dos cirugías y dos recuperaciones exitosas, ambas en contra de las expectativas médicas, por las que me sentí contento y agradecido. Pero para mí, el éxito no comenzó con los resultados positivos de las operaciones. El éxito comenzó mucho antes. Cuando en los últimos años de la escuela media, mi trabajo había cambiado académicamente y yo había comenzado a darme cuenta de que estaba entre mis posibilidades zafarme de un medio caracterizado por la pobreza. Tenía confianza en mi habilidad para hacer en mi vida prácticamente cualquier cosa que quisiera. Desde los ocho años, no había soñado con ser otra cosa que médico. En consecuencia, esperaba ser un médico *exitoso*.

En aquellos días mamá nos llevaba ocasionalmente a Curtis y a mí a Bloomfield Hills y Grosse Point, en Michigan, a la zona donde vivían mis parientes ricos. Durante el viaje solía decirme: «Algún día voy a vivir en una casa como esa. Voy a tener un coche, salir de vacaciones, poseer un lindo trabajo y un buen título. Sé que va a ser así».

Aquellas palabras no eran simplemente una vaga expresión de deseo, ni tampoco una empecinada determinación. Las decía con un profundo sentido de seguridad y convicción. Mamá nos había inculcado y yo lo aceptaba con sinceridad, el así llamado sueño americano. Todavía lo tengo.

Para cuando tenía trece años estaba convencido de que cada uno puede hacerse cargo de su vida, *que no tenemos por qué ser víctimas de las circunstancias*.

Aunque esperaba tener éxito, no tenía idea de que alguna vez llegaría a ser director de la sección de neurocirugía pediátrica en un importante hospital docente. No tenía idea de que sería empujado a la luz pública en la medida en que lo estoy. Tener las oportunidades para ejercer influencias en tantas áreas distintas, sencillamente era algo que no se me había ocurrido. Ni jamás cruzó por la mente que mi éxito estaría relacionado con la cirugía innovadora. Con franqueza, todo eso fue la parte que Dios dispuso.

Dios me convenció para que me quedara en la medicina académica (es decir, en el equipo de un hospital de enseñanza). Por mucho tiempo había supuesto que, en definitiva, pasaría a la práctica privada, pero cuando comenzaron a llegar todos aquellos casos extraordinarios y vi la oportunidad de avanzar en el campo, comencé a pensar en quedarme en el Hopkins. He sido sumamente feliz en mi trabajo.

En medio de todo esto quiero decir que Dios ha hecho que las cosas salieran bien para mí, al darme el talento para ser cirujano, la habilidad para pensar y operar en términos tridimensionales.

A medida que he subido en la escalera americana del éxito, mi gratitud hacia Dios se ha profundizado. Al contar mi propia historia acerca de un muchacho de un hogar roto, que vivía en un ambiente abatido por la pobreza, con malas calificaciones y una actitud negativa, y al subrayar que Dios me ha permitido hacer las cosas que anhelaba, también tengo la oportunidad de mostrar a la gente que Dios todavía sigue activo. Quedar como víctima de las circunstancias es un estado que uno elige, una elección que

— nos permite acusar a otra gente
— nos hace culpar a las circunstancias
— nos permite evitar la responsabilidad de nuestra vida
— nos anima a sentir lástima de nosotros mismos, y
— garantiza que sigamos siendo víctimas.

¡Nadie tiene por qué ser una víctima!

* * *

Al escribir *Piensa en grande*, quiero comentar el concepto de éxito cuyo término, por desgracia, con frecuencia se ha usado de manera errónea. Para algunos, éxito significa llegar a la punta de la escalera, no importa qué es lo que uno tenga qué hacer para ello. Estas mismas personas miden el éxito por las cosas que acumulan y por los millones de dólares que esas cosas valen.

Francamente, me entristece cuando, al hablar a estudiantes en las escuelas, en el período de preguntas y respuestas, los estudiantes preguntan:

— «¿En qué tipo de casa vive usted?»
— «¿Cuántos autos tiene?»
— «¿Tiene piscina?»

En lo que a mí respecta, el dinero y lo que este compra son insignificantes. Las personas de éxito tendrán esas cosas de todas maneras. Lo que *sí* es importante, lo que considero el éxito, es hacer una contribución a nuestro mundo.

Para algunos, el éxito significa darle más a la vida de lo que le pedimos. Pienso en el éxito como en *llegar más allá de uno mismo y ayudar a otra gente en forma específica*. Esto puede ser tan sencillo como un padre que inspira a sus hijos a hacer lo mejor de sus vidas, una madre que guía a sus hijos hacia la fe en Dios y la confianza en sí mismos, o ser fiel a cualquier empresa que se encare y hacerlo con la determinación de ser el mejor en la tarea.

Me gustan las palabras con que Pablo escribe a los colosenses. Les decía a las esposas, a los esposos, los niños, los padres y los esclavos, cómo vivir y hacer lo mejor los unos por los otros, resumiéndolo con estas palabras: «Y todo lo que hacéis sea de palabra o de hecho, hacedlo todo en el nombre del Señor Jesús, dando gracias a Dios Padre por medio de Él» (3.17).

En nuestra sociedad, más mujeres que nunca antes están integrando la fuerza de trabajo. Ahora algunas miran de manera despectiva a las que se quedan en el hogar para atender a sus esposos e hijos. Gracias a la influencia positiva de mi madre estoy doblemente satisfecho de que Candy esté disfrutando de su éxito como esposa y madre. Cuando nuestros tres hijos sean adultos, espero que puedan mirar atrás y ver mi influencia positiva, en especial la de su madre que pasa con ellos mucho más tiempo que yo. Conozco personalmente la tremenda influencia que puede ejercer una madre. Aunque ahora tengo cuarenta años, todavía recuerdo los comentarios que me hiciera mi madre. Muy coherente, mamá no sólo nos daba el mismo mensaje muchas veces, sino que encontraba una variedad de formas para expresarlo. Y, aunque nos gustara o no admitirlo, lo que ella decía tenía sentido.

Puedo pensar en muchas formas en que nos estimulaba a aprender las cosas que más nos ayudarían. A menudo tomaba un libro de texto y decía:

—¿Qué edición es esta?

Me fijaba y tal vez decía:

—La tercera.

—¿Sabes lo que eso significa, Bennie? Significa que los escritores hicieron mejoras. Obtuvieron más conocimientos y los agregaron al libro. ¿Por qué no lo lees críticamente? Tal vez tú mismo escribas la próxima edición.

Por supuesto, su frase favorita de todo el tiempo era: «Si alguien puede hacer algo, tú también puedes, incluso mejor». Lo dijo tantas veces que llegué a creer que debía hacer *todo*, al menos tan bien como cualquier otro que hubiera intentado hacerlo. Más adelante entendimos que mamá no pretendía que Curtis y yo fuéramos los número uno en todo, sencillamente quería que diéramos lo mejor de nosotros en cualquier tarea que hiciéramos.

«No hay ninguna razón, en absoluto, para que no hagas lo mejor que puedas».

Muchas veces notaba que cuando daba lo mejor de mí y me esforzaba, no siempre obtenía los mejores resultados. «Algunos muchachos tal vez sean más inteligentes, pero no se esfuerzan tanto», solía decir. «Si das lo mejor de ti, nunca perderás».

Algunas otras ideas acerca del éxito que mamá implantó durante nuestros años de crecimiento, que no sólo he aprendido sino que obviamente nunca he olvidado, son:

En la medida en que estés satisfecho de haber hecho lo mejor posible, entonces has realizado todo lo que tienes que ejecutar.

La mejor manera de sentirse satisfecho con uno mismo es saber que uno ha hecho lo mejor que ha podido.

La ropa no es importante. Casas, coches y cuentas de banco, ninguna de esas cosas son trascendentales. ¿Sabes lo que es valioso? El conocimiento y el trabajo duro, las habilidades que te permiten adquirir esas cosas.

¿Quieres saber lo que es importante? Lo vas a descubrir así: Permite que alguien te quite todas las cosas como el dinero, los coches, las casas. Quizás te las quiten, pero puedes volver a conseguirlas si tienes el conocimiento apropiado y lo sabes usar. Pero si alguien te quita el conocimiento y voluntad de hacer lo mejor, automáticamente has perdido lo que es importante y no podrás recuperarlo.

Mamá solía darme consejos acerca de los amigos con quienes pasaba el tiempo. A menudo no me gustaba lo que ella decía, pero por lo general tenía razón.

—Bennie, fíjate bien en ese muchacho. ¿Te gustaría ser así? —me preguntó acerca de uno de mis amigos que faltaba a la escuela y de continuo se metía en dificultades en el vecindario.

—No —respondí—. Sólo soy un amigo.

—Uno se vuelve como la gente con la que pasa el tiempo. Tienes que tener cuidado al elegir tus amigos. A veces las personas creen que pueden andar por ahí con determinado grupo y creen que no llegarán a ser como sus integrantes. Piensan que de alguna manera son inmunes a su influencia, pero se están engañando. Después de un tiempo comienzan a actuar como ellos y a absorber aspectos de su personalidad sin siquiera notarlo.

No pasa mucho tiempo antes que se vuelvan como aquellos con quienes andan.

Esta es una lección que aprendí cuando estaba en la escuela media. Durante la mayor parte del décimo grado, mis amigos eran del tipo que sólo pensaban en jugar y usar ropas de moda. Cuanto más tiempo pasaba con ellos, más quería ser como ellos. Fue un año difícil para mí, pero aprendí acerca de cómo otras personas influyen en nosotros.

Hoy en día aconsejo a mis oyentes: «Asóciense con la gente como la que les gustaría ser. No importa si somos estudiantes, adultos o ancianos. *Siempre podemos seguir aprendiendo mientras tengamos vida.* Si queremos tener una vida exitosa, una vida de paz interior y satisfacción, debemos trabajar para ello. ¿Podemos encontrar una manera mejor de lograrlo que juntarnos con aquellas personas como quienes nos gustaría ser? Esto también nos mantiene alejados de los elementos negativos de quienes saben que son perdedores y no quieren hacer nada para cambiar.

Los fracasados en este mundo ponen mucho esfuerzo para que otros también fracasen. Engatusan, critican, se mofan y discuten. En la escuela pueden inventar una larga lista de nombres o apodos para llamar a sus compañeros, tales como «mascota de la señorita», «sabihondo», etc.

Cuando los chicos que son blanco de esas burlas me cuentan de sus aflicciones, les sugiero que respondan a sus críticos de la siguiente manera: «Veamos lo que estaré haciendo dentro de veinte años y lo compararemos con lo que tú estarás haciendo. Entonces sabremos quién hizo la elección correcta».

Así es como manejé la situación cuando me separé de mi destructivo grupo en el décimo grado. Dos años más tarde formaron parte del curso que me eligió la persona «más probable de tener éxito». Tal vez no les gustaba lo que hacía, pero sospecho que deben haberme envidiado un poco y hasta deseado ser como yo.

No sólo Curtis y yo recibíamos las críticas continuas en la escuela, sino que los padres de nuestro vecindario molestaban a mamá.

—¿No te das cuenta de lo que estás haciendo con esos muchachos? —oí decir a una madre.

—Claro que me doy cuenta. Los estoy criando bien.

—Criándolos bien, ¡bah! Te odiarán cuando sean más grandes por ser tan estricta y desconsiderada con ellos.

—Pueden odiarme todo lo que quieran —replicó mamá— pero primero van a ser exitosos.

De esta manera mi madre nos hablaba a nosotros y a los demás.

*   *   *

Alguna gente se queja de la injusticia en nuestra sociedad. No pueden tener éxito porque todo está en contra de ellos. Con frecuencia he escuchado a algunas personas decir que necesitan ser el doble de buenos que cualquier otro para obtener los mismos resultados. A causa de su raza, su idioma o su nivel socioeconómico, sienten que si no hacen las cosas dos veces mejor que la mayoría de la población, no tendrán las mismas oportunidades.

Si esto es o no verdad, no es el asunto de fondo. Creo que *Dios espera que hagamos lo mejor posible en todo lo que nos propongamos.* Si siempre hacemos lo mejor y confiamos en la guía del Señor, automáticamente vamos a conducir nuestros asuntos mejor que las personas que carecen de esa actitud mental.

No necesitamos comparar nuestros logros con los de los demás. Sólo necesitamos hacernos una pregunta: «¿He dado lo mejor de mí?»

Habiendo leído estos capítulos en cuanto a pensar en grande, póngalos en práctica.

*   *   *

Cualquiera puede transformar el mundo... siempre que *PIENSE EN GRANDE.*